Y0-AEW-108

Bien vivre ensemble

Études sociales pour les écoles catholiques

Sylvia Pegis Santin

Patrick Gallagher

GB
Beauchemin

Bien vivre ensemble, 3e année
Études sociales pour les écoles catholiques
Pour les classes de français langue seconde immersion

Traduction française de :
Many Gifts, Grade 3
Social Studies for Catholic Schools
Original English edition published
by Gage Learning Corporation © 2000

© 2002 **GB** Groupe **Beauchemin**, éditeur ltée

3281, avenue Jean-Béraud
Laval (Québec) H7T 2L2
Téléphone : (514) 334-5912
1 800 361-4504
Télécopieur : (450) 688-6269
www.beaucheminediteur.com

Tous droits de traduction, d'adaptation et de reproduction, sous quelque forme que ce soit, en partie ou en totalité, sont réservés pour tous les pays. Entre autres, la reproduction d'un extrait quelconque de ce livre, par quelque procédé que ce soit, tant électronique que mécanique, en particulier par photocopie, par numérisation et par microfilm, est interdite sans l'autorisation écrite de l'éditeur.

Le photocopillage entraîne une baisse des achats de livres, à tel point que la possibilité pour les auteurs de créer des œuvres nouvelles et de les faire éditer par des professionnels est menacée.

Nous reconnaissons l'aide financière du gouvernement du Canada par l'entremise du Programme d'aide au développement de l'industrie de l'édition (PADIÉ) pour nos activités d'édition.

ISBN : 2-7616-1595-6

Dépôt légal : 3e trimestre 2002
Bibliothèque nationale du Québec
Bibliothèque nationale du Canada

Imprimé au Canada
1 2 3 4 5   05 04 03 02

Consultantes et consultants
Édition française

Son Excellence Monseigneur Marcel Gervais Archevêque d'Ottawa

Marie Evans Bouclin M.A. (théologie)

M. l'abbé Jacques Faucher Délégué diocésain à l'œcuménisme, Archidiocèse d'Ottawa

Caroline Ghaffari Conseil scolaire de district catholique d'Ottawa-Carleton

Julie Hancin Conseil scolaire de district catholique de Peterborough Victoria Northumberland et Clarington

Jean-Francois Lapointe Conseil scolaire de district catholique d'Ottawa-Carleton

Josée Millette-Hotte Conseil scolaire de district catholique d'Ottawa-Carleton

Rachel Parent Secrétaire personnelle de Mgr Gervais, Archidiocèse d'Ottawa

Équipe de l'édition française
Chargé de projet : Jim Rogerson

Production : Michel Carl Perron

Traduction : Documens

Révision linguistique : Suzanne Teasdale

Correction d'épreuves : Jacinthe Caron

Mise en pages : Caractéra inc.

Impression : Art Graphique inc.

Consultantes et consultants
Édition anglaise

Son Excellence Monseigneur Marcel Gervais Archevêque d'Ottawa

Andrea Bishop Conseil scolaire de district catholique de Halton

Angelo Bolotta Conseil scolaire de district catholique de Toronto

Marilynn Childerhose Conseil scolaire de district catholique de Dufferin-Peel

Brian DePiero Conseil scolaire de district catholique de Thunder Bay

John Podgorski Conseil scolaire de district catholique d'Ottawa-Carleton

Père Michael Ryan Ancien vice-recteur, Séminaire Saint-Peter, professeur de théologie morale

Sœur Marie Taylor Sœurs de la Congrégation Notre-Dame

Larry Trafford Conseil scolaire de district catholique de Toronto

Équipe de l'édition anglaise
Illustrations de la couverture :
Anne Stanley ; Don Kilby ; Jenny Duda ; William Kimber ; Stephen Taylor

Directrice artistique :
Donna Guilfoyle, ArtPlus Ltd.

Conception graphique de la couverture et des textes : Dave Murphy, ArtPlus Ltd.

Mise en pages : Carlos Reyes, ArtPlus Ltd.

Remerciements
Tous les efforts nécessaires ont été entrepris pour citer le nom des auteurs des œuvres protégées par des droits d'auteur. Tout renseignement qui permettrait à l'éditeur de corriger dans les prochaines éditions du présent ouvrage toute référence ou source citée serait apprécié.

Illustrations: Pages 40, 42, 44, 47: Wesley Bates ; pages 28-29, 108-113: Heather Collins ; pages 19, 22-23, 25 : Malcolm Cullen ; pages 8-9, 11-12, 14 : Jenny Duda ; pages 4-7, 32 : MaryJane Gerber ; pages 30, 35, 106-107 : Karen Harrison ; pages 38-39, 56, 102 : Tina Holdcroft ; pages 1, 6, 97 : Kveta Jelinek ; pages 68-71, 73-75, 80 : Don Kilby ; pages 37, 52-59 : William Kimber ; pages 13, 15-16, 30-31 : Jack McMaster ; pages 103-104, 116 : Suzanne Mogensen ; pages 2, 3, 4, 76 : Anne Stanley ; pages 81, 94-95, 98 : Stephen Taylor ; page 93 : Susan Todd ; pages 49-50, 64, 79 : Andrew Woodhouse ; pages 10, 21, 24, 26, 33, 34, 36, 59, 72, 89, 100, 114 : ArtPlus Ltd.

Photographies : p. 18, Village iroquoien, aire de conservation Milton du lac Crawford, Photo Conservation Halton ; p. 20, Archives PC, Archives nationales, PA-122303 ; p. 27, W. Berczy, Thayendanegea (Joseph Brant) (5777), Galerie nationale du Canada ; p. 41, Bill Ivy, Ivy Images ; p. 43, Frank Scott, Ivy Images ; p. 45, Ivy Images ; p. 46, Ivy Images ; p. 48, avec la permission des sœurs de Loretto ; p. 51, Bibliothèque William L. Clement, Université du Michigan ; p. 60, Ivy Images ; p. 61 (haut), Dan Roitner, Ivy Images ; p. 61 (centre), Bill Ivy, Ivy Images ; p. 61 (bas), Ivy Images ; p. 62 (gauche), Ivy Images ; p. 62 (droite), Gilles Daigle, Ivy Images ; p. 63, David Nanuk, First Light ; p. 65, Ivy Images ; p. 66 (gauche), Cobalt Mining Museum ; p. 66 (droite), Temiskaming Printing ; p. 67 (haut), Ottmar Bierwagon, Ivy Images ; p. 66 (bas), Tony Mihok, Ivy Images ; p. 77, Tony Mihok, Ivy Images ; p. 78, Dawn Goss, First Light ; p. 79 (droite), Don Johnston, Ivy Images ; p. 79 (gauche), Robert McCaw, Ivy Images ; p. 83 (haut), Dan Roitner, Ivy Images ; p. 83 (centre), Norm Piluke, Ivy Images ; p. 83 (bas), © Claudine Bourgès ; p. 84 (haut), Ivy Images ; p. 84 (bas), Ottmar Bierwagon, Ivy Images ; p. 85 (haut), Stelco Hilton Works ; p. 85 (bas), Ivy Images ; p. 86, © Claudine Bourgès ; p. 87 (haut), Bill Ivy, Ivy Images ; p. 87 (bas), Ivy Images ; p. 88 (haut-gauche), Alan Marsh, First Light ; p. 88 (droite), Bill Ivy, Ivy Images ; p. 88 (bas-gauche), Ken Straiton, First Light ; p. 90, Centre médical de l'université McMaster ; p. 91 (haut), Conseil scolaire catholique de Thunder Bay ; p. 91 (bas-gauche), Archidiocèse d'Ottawa ; p. 91 (bas-droite), Université Queen ; p. 92 (haut), Bill Ivy, Ivy Images ; p. 92 (bas), Ivy Images ; p. 96, Ivy Images ; p. 97, Commission de transport de Toronto ; p. 99 (gauche), Caroline Commins, Ivy Images ; p. 99 (droite), Don Johnston, Ivy Images ; p. 101 (haut), Ministère de l'Environnement ; p. 101 (bas), Ivy Images ; p. 105 (haut-droite), Tony Mihok, Ivy Images ; p. 105 (haut-gauche), Jeff Greenberg, Ivy Images ; p. 105 (centre-gauche), Bill Ivy, Ivy Images ; p. 105 (bas-gauche), Bill Ivy, Ivy Images ; p. 105 (bas-droite), Nikki Abraham, Ivy Images.

Table des matières

En Ontario

Un voyage dans l'espace

Ferme les yeux et prends une grande respiration. Tu vas partir en voyage.

Tes pieds quittent le sol. Hop, hop, hop! Tu t'envoles! Tout doucement au début, puis de plus en plus vite. Tu passes au-dessus d'un grand arbre et ses branches te chatouillent les pieds. Garde les yeux fermés.

Le vent souffle autour de toi en faisant un bruit intense. Un coup de vent arrive, et tu te retrouves sens dessus dessous.

Puis tout à coup, le silence. Maintenant, ouvre les yeux.

Tu flottes comme un nuage dans une journée venteuse d'été. Sous tes pieds, une immense boule est suspendue dans l'espace; on dirait une belle décoration dans un arbre de Noël. C'est la Terre que Dieu a créée pour nous. C'est notre foyer.

Nous vivons en Amérique du Nord. Vu de l'espace, notre continent ressemble à un immense triangle. Notre pays, le Canada, est au nord de l'Amérique du Nord.

En volant au-dessus du Canada, vois-tu le sommet des montagnes couvert de neige ? À l'est du pays se trouve une grande île. C'est la province de Terre-Neuve.

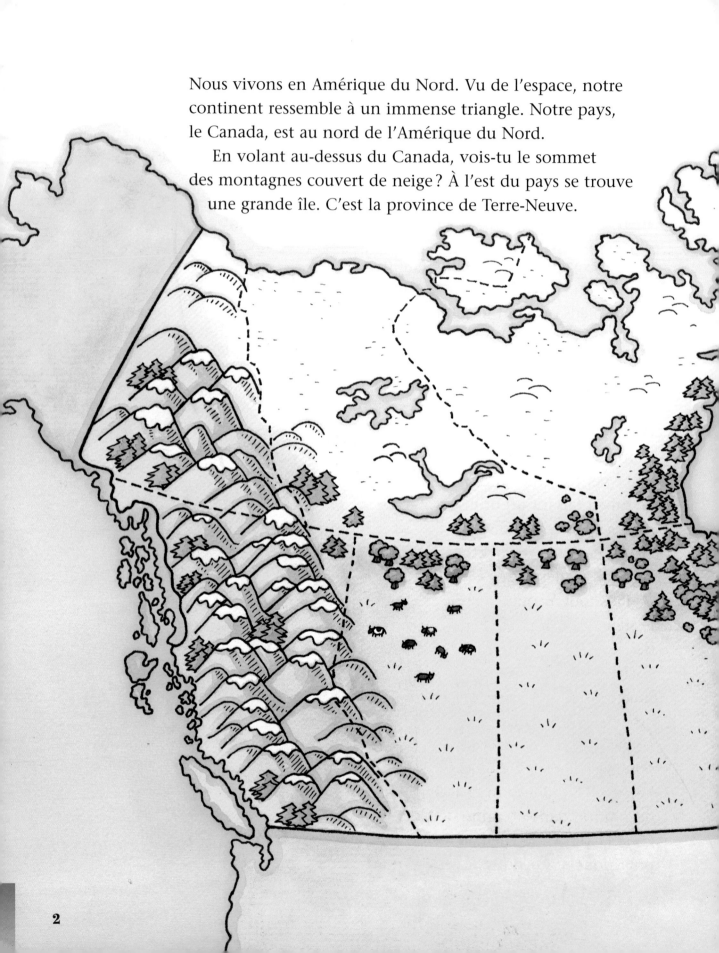

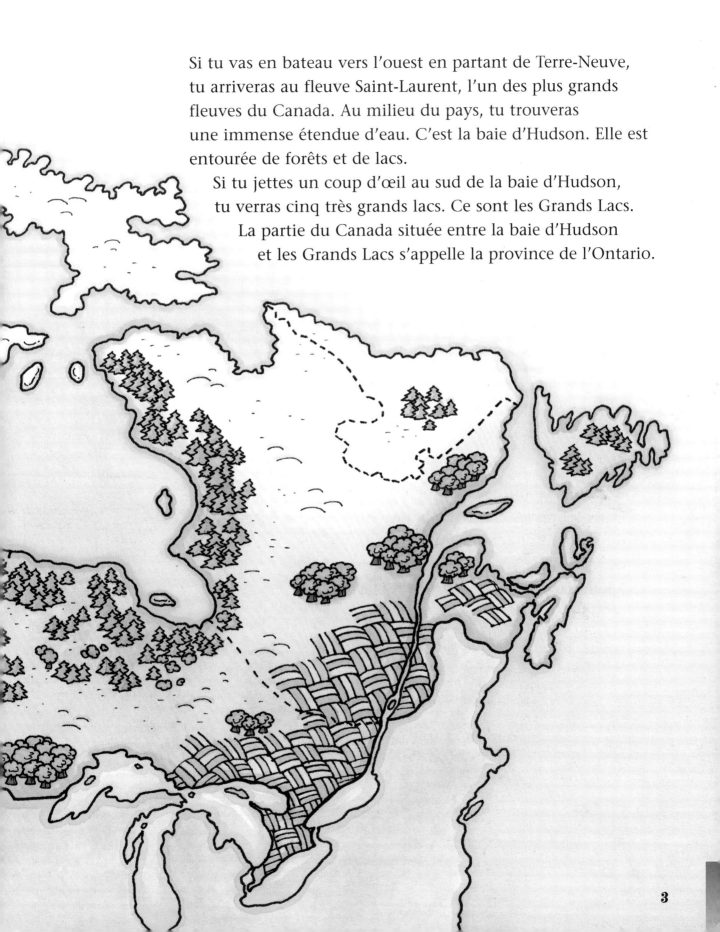

Si tu vas en bateau vers l'ouest en partant de Terre-Neuve, tu arriveras au fleuve Saint-Laurent, l'un des plus grands fleuves du Canada. Au milieu du pays, tu trouveras une immense étendue d'eau. C'est la baie d'Hudson. Elle est entourée de forêts et de lacs.

Si tu jettes un coup d'œil au sud de la baie d'Hudson, tu verras cinq très grands lacs. Ce sont les Grands Lacs. La partie du Canada située entre la baie d'Hudson et les Grands Lacs s'appelle la province de l'Ontario.

Une journée en Ontario

L'Ontario est notre foyer dans le monde. Nous le partageons avec des millions d'autres personnes qui vivent dans des communautés aux quatre coins de notre province. Pourquoi ne regardes-tu pas de plus près, pour voir ce qui s'y passe ?

- Nous sommes aux petites heures du matin. Les autoroutes et les rues sont pleines de véhicules. Personne ne veut arriver en retard au travail. Les camionneurs doivent livrer des marchandises. À Toronto, des passagers prennent l'autobus, le tramway et le métro pour aller au bureau, au magasin, à l'usine et à l'école.

- À l'école, la journée commence. Dans toutes les classes de la province, du nord au sud et de l'est à l'ouest, de Moosonee à Windsor et de Cornwall à Kenora, les enseignants et les élèves se disent bonjour.

Dans le nord de l'Ontario, des feux de forêt brûlent. L'été a été chaud et il n'y a pas eu beaucoup de pluie, alors le bois est sec. Les pompiers combattent les incendies depuis des jours. Ils sont très fatigués.

Dans le sous-sol d'une église de Kitchener, des bénévoles préparent le dîner. Tous les jours, des gens viennent manger ici. Certains sont pauvres, d'autres sont sans abri. Le repas est gratuit et il y a toujours quelqu'un pour les écouter et les aider.

À North Bay, une messe de funérailles va commencer. Monsieur Brunel, qui avait presque 90 ans, est mort après une longue maladie. Ses enfants, ses petits-enfants et ses arrière-petits-enfants sont rassemblés dans l'église. Le prêtre fait le signe de la croix : « Au nom du Père et du Fils et du Saint-Esprit… »

C'est le temps des récoltes. Dans une ferme, près de Hamilton, les membres d'une famille et le personnel saisonnier travaillent de longues heures depuis des semaines. Certains de leurs produits seront vendus au marché champêtre de Hamilton.

À London, les membres d'une famille viennent de nettoyer le garage. Ils vont apporter de vieilles boîtes de peinture dans un site réservé aux déchets dangereux.

À Ottawa, devant le Parlement, des manifestants défilent avec des pancartes. Ils sont venus des quatre coins de l'Ontario. Ils croient que le gouvernement devrait faire plus d'efforts pour que les gens puissent habiter dans des maisons et des appartements qui ne coûtent pas trop cher.

C'est le soir. Dans une petite
ville du nord de l'Ontario,
des gens se réunissent
pour discuter d'un nouveau
programme de loisirs pour
les enfants et les adolescents.
« C'est une bonne idée, disent-ils,
mais avons-nous assez d'argent ?
Nous avons besoin de ce
programme, trouvons le moyen
de le réaliser. »

Il est très tard maintenant. C'est le moment de redescendre
sur Terre. La nuit est tombée. La plupart des gens dorment
déjà. Mais quelqu'un pourrait tomber malade durant la nuit ;
que se passerait-il si le courant était coupé ? Il y a des gens
qui travaillent toute la nuit pour veiller à notre sécurité.

Dans le monde entier comme en Ontario, les gens comptent
les uns sur les autres. Dieu nous a créés pour vivre, travailler,
prier, rire et surmonter nos difficultés ensemble. Quand nous
ne sommes pas d'accord, nous devons essayer de résoudre
nos désaccords en pensant au bien de tous et de toutes.

Un voyage dans le passé :
il y a 500 ans

Le jour se lève et nous allons à nouveau partir en voyage. Cette fois, tu n'iras pas dans l'espace, mais tu remonteras dans le temps.

Il y a très longtemps, bien avant ta naissance et bien avant que tes grands-parents ou que leurs grands-parents soient nés, le territoire que nous appelons aujourd'hui l'Ontario existait déjà. Ferme les yeux et essaie d'imaginer à quoi ressemblait l'Ontario d'il y a 500 ans.

Il n'y a pas de villes. Il n'y a pas non plus d'écoles remplies d'enfants. Pas de voitures, pas d'autobus, pas de routes. Imagine des forêts denses, des rivières en cascade et des lacs d'un bleu vif. Les autochtones étaient les seules personnes qui vivaient ici à cette époque. C'étaient les premiers habitants de l'Ontario : le peuple d'origine.

Les autochtones habitent toutes les régions du Canada depuis des milliers d'années. Ils ont toujours su comment vivre de la terre, trouver leur nourriture, construire des maisons et faire des vêtements. Ils pêchaient le poisson dans les océans, les rivières et les lacs. Ils cultivaient aussi le sol là où la terre était fertile et le climat favorable. Et ils chassaient dans la forêt — il y avait des forêts partout. L'été, ils faisaient de longs voyages en canot et ils se déplaçaient en raquettes en hiver. Le soir, ils se rassemblaient autour du feu et racontaient des histoires. Ils fabriquaient des outils et des objets ornementaux comme des bijoux, des vêtements bordés de piquants de porc-épic, des plats et des bols ornés de dessins.

9

Il y a 500 ans, deux grands groupes autochtones vivaient en Ontario : les Algonquiens et les Iroquoiens.

■ Peuple iroquoien
■ Peuple algonquien

Cris

Ojibwés

Népissingues
Outaouais
Algonquiens

Hurons
Pétuns

Neutres

Les Cris, les Ojibwés, les Népissingues, les Outaouais et les Algonquiens forment le peuple algonquien. Les Hurons, les Pétuns et les Neutres font partie du peuple iroquoien. Ces noms sont utilisés par la plupart des gens, mais les autochtones emploient dans leur propre langue d'autres noms pour se désigner. Par exemple, les Hurons s'appellent eux-mêmes les Wendat.

Les Algonquiens chassaient et pêchaient, et ils cueillaient des petits fruits sauvages comme les bleuets. Ce peuple vivait au centre et au nord de l'Ontario. Les Cris vivaient près de la baie d'Hudson en petits groupes de chasseurs. Plus au sud, d'autres peuples algonquiens comme les Népissingues, les Outaouais et les Algonquiens cultivaient la terre.

Les Iroquoiens vivaient au sud de l'Ontario. C'étaient surtout des agriculteurs, mais ils pouvaient aussi pêcher et chasser. Ils vivaient dans des villages construits sur les hauteurs, le plus souvent près d'un cours d'eau. Certains villages comptaient jusqu'à 1 500 habitants.

La construction
d'un nouveau village

C'est le mois d'avril. La neige est presque toute fondue.
Un groupe de Hurons se préparent à déménager dans un
nouveau village. Ils habitent leur ancien village depuis plus
de dix ans. Les récoltes ne sont plus aussi bonnes, et il reste
peu de bois de chauffage aux alentours. Il faut partir
et laisser la terre se reposer.

Les hommes ont déjà préparé l'emplacement du nouveau
village. Ils ont coupé les arbres et brûlé les souches.
Les champs seront prêts à recevoir les semences
lorsque le temps chaud viendra.

On doit apporter beaucoup d'objets dans
le nouveau village : des pieux pour la maison
longue, des plats pour la cuisine, des bols
et des cuillères de bois, des tuniques
de fourrure et des aiguilles faites avec
des os d'animaux. Il faut aussi penser
aux outils pour semer les graines
et aux boîtes en écorce
de bouleau pleines
de nourriture séchée.
On transportera
certains objets en
canot, d'autres seront
apportés à pied.

Bientôt, un nouveau village apparaît. Tout autour,
on a dressé une clôture qui protège le village. Cette clôture
s'appelle une palissade. Elle est faite de pieux de bois.
À l'intérieur de la palissade se trouvent les maisons longues.
Plusieurs familles vivent dans chacune des maisons.
Les maisons longues sont faites de pieux et elles sont
recouvertes d'écorce. Les champs sont à l'extérieur
de la palissade.

LES MAISONS LONGUES

Les maisons longues étaient parfois petites, mais certaines d'entre elles mesuraient jusqu'à 60 mètres. Il y avait une entrée à chaque extrémité. À l'intérieur, la fumée était la première chose qu'on remarquait. Des feux pour faire la cuisine étaient allumés au centre, d'un bout à l'autre de la maison. Les enfants couraient partout et les femmes étaient occupées à cuisiner. Sur les côtés, il y avait de grands lits sur toute la longueur de la maison. La nourriture, les outils, les paniers et les vêtements étaient rangés sous les lits. Chaque petit coin était utilisé. Sous le toit, on suspendait aux poutres les lapins qu'on avait tués pour les manger, les herbes à sécher et les peaux. Le maïs, dans des paniers en écorce de bouleau, était enterré dans des trous creusés à même le sol.

Dans les villages hurons, ce sont les femmes et les petites filles qui cultivent les champs. Avec des bâtons, des pierres et des binettes faites avec des os d'animaux, elles retournent la terre et creusent des trous pour semer les graines.

Elles sèment d'abord du maïs avec les graines de la récolte de l'an passé. Puis elles sèment des courges et des haricots entre les rangées de maïs. Ces trois aliments — le maïs, les haricots et les courges — permettent de bien nourrir les habitants du village. Plus tard, au courant de l'été, les femmes iront cueillir des noix et des petits fruits.

Durant la saison chaude, pendant que les femmes cultivent la terre, les hommes vont chasser, pêcher et faire du commerce. Les Hurons faisaient souvent du commerce avec les Algonquiens. Les Hurons échangeaient du maïs, du tabac et des filets de pêche contre les fourrures et les peaux que les Algonquiens leur apportaient.

La vie au village

Le travail ne manque pas au village : il faut semer, enlever les mauvaises herbes, faire la récolte, chasser, pêcher, cuisiner. Il faut aussi ramasser du bois de chauffage et entreposer de la nourriture pour l'hiver. On doit faire des vêtements avec la peau des animaux. Il faut aussi fabriquer des plats, des outils, des filets de pêche, des raquettes et des canots.

En grandissant, les enfants prennent part au travail. Ils ne vont pas à l'école, mais ils apprennent en regardant faire leurs parents et en les aidant. Les petites filles apprennent à cultiver la terre, à faire la cuisine, à tisser et à fabriquer des vêtements. Les garçons, eux, apprennent à défendre le village, à chasser et à pêcher.

On se réserve aussi du temps pour les histoires.
Les personnes âgées sont respectées à cause de leur sagesse.
Ce sont surtout elles qui racontent les histoires : l'histoire
des Hurons, des contes sur le Soleil, la Lune et les rivières.
Des histoires qui parlent des jours d'abondance, lorsque
les champs sont couverts de maïs, et aussi des jours
de disette, lorsque le maïs ne pousse pas. Les enfants
apprennent tout cela en écoutant les histoires.

Les cérémonies religieuses occupent une place importante
dans la vie du village. Les Hurons croient que la nature
est vivante et remplie d'esprits. Ils ont des cérémonies
pour honorer les morts, faire venir le beau temps
et remercier les esprits des animaux tués à la chasse.

LES TROIS SŒURS

Le maïs, les haricots et les courges étaient toujours
semés ensemble. Les Hurons croyaient que ces plantes
étaient trois sœurs qui ne voulaient pas être séparées.
Lorsqu'on avait fini de semer les graines, les gens
priaient pour que les sœurs ne manquent pas d'eau.
Lorsque la récolte était prête, tout le monde
se réjouissait, car les trois sœurs avaient
grandi et étaient rentrées à la maison.

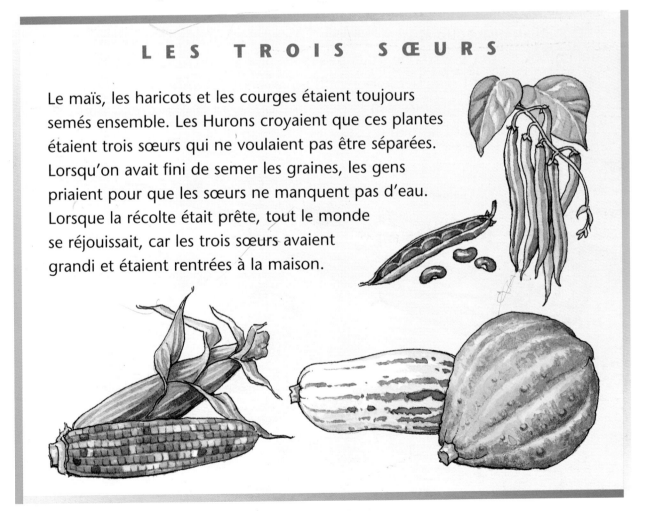

Tous les habitants du village aiment les devinettes, la course, les concours d'adresse au tir à l'arc. Mais leur jeu favori est la crosse, le sport le plus ancien en Amérique du Nord. La crosse, toujours populaire au Canada, est considérée comme notre sport national.

LES JEUX AU VILLAGE

Les autochtones de la région des Grands Lacs ont inventé le sport de la crosse. Ils utilisaient une balle en peau de chevreuil et un bâton de bois terminé au bout par des lanières de cuir.

Le serpent à neige était un jeu d'hiver. Chaque joueur ou chaque équipe essayait de lancer un long bâton le plus loin possible sur la neige.

On aimait beaucoup aussi les jeux de hasard. L'un d'eux se jouait avec un bol en bois et des noyaux de fruits peints en noir sur un côté. Tour à tour, les joueurs faisaient pencher le bol, puis en jetaient le contenu sur le sol. Le gagnant ou la gagnante était la personne qui avait le plus grand nombre de noyaux présentant le même côté.

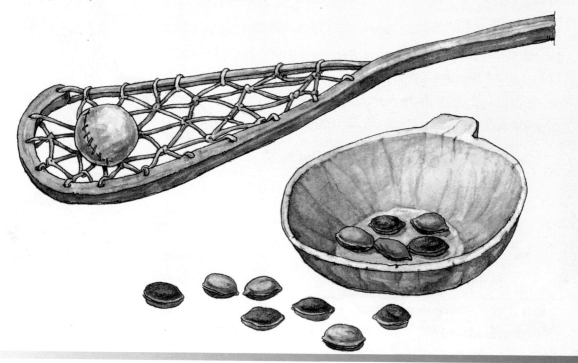

Il y a aussi beaucoup de fêtes pendant l'année. Ces fêtes sont données en l'honneur d'un nouveau chef, pour accueillir des visiteurs ou encore pour célébrer une victoire. La nourriture, les danses et les histoires sont toujours au rendez-vous. Le chef du village qui organise la fête s'assure que personne ne manque de nourriture.

Lorsqu'on vit ensemble, il faut prendre des décisions. Les femmes huronnes s'occupent de cultiver la terre; c'est pourquoi elles disent comment on doit partager la nourriture entre les familles des maisons longues. Les femmes âgées choisissent aussi les chefs parmi les hommes.

Les Hurons ont deux genres de chefs: un chef chargé de prendre les décisions quotidiennes et un chef de guerre qui s'occupe de protéger le village. Les chefs de guerre se réunissent pour organiser ensemble la défense du village ou pour décider d'attaquer l'ennemi. Les autres chefs et les aînés du village se réunissent pour préparer les fêtes, résoudre les problèmes des habitants du village et prendre des décisions à propos des expéditions de chasse et des voyages de traite.

Ce dessin d'une assemblée huronne a été fait par le père Bressani, un prêtre qui a vécu parmi les Hurons il y a près de 400 ans. Le mot « *concilium* » veut dire conseil.

Plusieurs fois par année, les chefs des villages se réunissent dans une grande assemblée. Ces assemblées durent habituellement très longtemps, car on veut y prendre des décisions qui satisfont tout le monde. Les chefs parlent et écoutent à tour de rôle. Ils réfléchissent à ce que les autres chefs disent, ils reprennent la parole, puis ils écoutent encore. Les chefs hurons trouvent important de prendre des décisions qui plaisent à tous.

Il y a 300 ans

Ton voyage continue. Tu te retrouves maintenant 300 ans en arrière. Deux cents ans ont passé depuis la construction du nouveau village. Beaucoup de choses ont changé. Les villages et les champs hurons n'existent plus. Il y a environ 50 ans, les Iroquoiens du sud des Grands Lacs ont attaqué les Hurons et les ont chassés de leurs terres. Beaucoup de gens sont morts et les survivants ont quitté l'Ontario.

Pourquoi cela est-il arrivé? Pour répondre à cette question, tu dois savoir qu'il s'est passé quelque chose de nouveau.

Un village iroquoien reconstitué près du lac Crawford permet aux gens d'aujourd'hui qui le visitent de voir à quoi ressemblait la vie des autochtones dans les villages.

Depuis pas mal de temps, les chapeaux en fourrure
de castor étaient très populaires en Europe. Lorsque
les explorateurs venus de France et d'Angleterre sont arrivés
pour la première fois au Canada, ils ont découvert que
le pays regorgeait de fourrure. Ils ont construit des postes
de traite et des forts pour en faire le commerce avec
les autochtones. Ils échangeaient des outils, des chaudrons
de métal et des tissus contre des peaux de castor.

LES COUREURS DES BOIS

Les autochtones ont appris aux explorateurs à survivre dans les régions
sauvages. De jeunes hommes venus de France ont commencé à vivre
comme leurs guides autochtones. Ils voyageaient sur les lacs et les rivières
et ils chassaient dans les forêts. Après plusieurs mois, ils revenaient
aux postes de traite, leurs canots remplis de fourrures. Ces jeunes
gens se faisaient appeler coureurs des bois, parce qu'ils
parcouraient les forêts.

Le commerce des fourrures a changé la vie des autochtones, qui ont fini par dépendre des biens que leur échangeaient les Français et les Anglais. Le commerce des fourrures a amené des conflits et des guerres entre les autochtones. C'est l'une des raisons qui ont poussé les Iroquoiens à attaquer les Hurons.

Le commerce des fourrures a également attiré ici des Européens. Ils se sont installés sur les terres où les autochtones vivaient depuis toujours. Au début, cela n'a pas posé de problème. Il y a 300 ans, la terre ne manquait pas et les colons étaient peu nombreux. Il y avait quelques fermes, villes et villages le long du fleuve Saint-Laurent. En Ontario il n'y avait pas de colons, seulement des postes de traite et des forts.

Tout cela allait bientôt changer. En l'espace d'à peine 100 ans, des milliers de gens sont venus s'installer en Ontario. Ils ont défriché des terres, cultivé le sol et construit des routes, des moulins et des villes. D'où venaient tous ces gens? Pourquoi sont-ils venus ici? Comment vivaient-ils?

Cette photographie montre un poste de traite des fourrures, dans l'île Bear, sur le lac Temagami, il y a plus de 100 ans.

Le temps des pionniers en Ontario

Les colonies américaines

Si tu regardes une carte de l'Amérique du Nord, tu verras un grand pays au sud du Canada. C'est notre voisin : les États-Unis. Son histoire fait partie de la nôtre. Voici ce qui s'est passé.

À l'époque où des gens venus de France défrichaient des terres le long du fleuve Saint-Laurent, des colons venus d'Angleterre s'installaient plus au sud, le long de la côte est de l'Amérique du Nord. Comme les colons du Canada, c'étaient aussi des agriculteurs.

Leur nombre n'a cessé de grandir. En 1775, il y avait près de trois millions d'habitants dans les colonies américaines. Ces colonies étaient gouvernées par la Grande-Bretagne. En ce temps-là, le Canada aussi était une colonie de la Grande-Bretagne.

La France et la Grande-Bretagne se sont longtemps disputées au sujet de leurs colonies au Canada. En 1763, à la fin de la guerre, la France ne possédait plus aucun territoire en Amérique du Nord, à part les îles de Saint-Pierre-et-Miquelon.

L'Amérique du Nord britannique en 1763

Océan Atlantique

☐ Territoire britannique

Imagine ceci : ta mère ou ton père te dit de te préparer à aller au lit, mais tu ne le fais pas. Imagine que ton enseignante ou ton enseignant te demande de faire quelque chose, mais tu n'obéis pas. Si ce genre de situation t'est déjà arrivé, tu sais ce que veut dire le mot « rebelle ». Tu sais probablement aussi ce qui se passe quand on désobéit ou qu'on n'écoute pas une personne responsable.

Tout le monde a déjà désobéi à un moment ou à un autre et s'est retrouvé dans une situation embarrassante. Mais que se passe-t-il quand un grand nombre de personnes décident de se rebeller toutes en même temps ? C'est ce qui est arrivé dans les colonies américaines.

Les habitants de ces colonies ne voulaient plus être gouvernés par la Grande-Bretagne. Ils ne voulaient pas qu'un autre pays, de l'autre côté de l'océan Atlantique, prenne des décisions à leur place.

Plusieurs colons américains étaient mécontents de la décision prise par la Grande-Bretagne de taxer des produits comme le sucre, le thé et le papier. Ils croyaient que ces taxes étaient injustes, parce qu'ils ne pouvaient pas donner leur avis à leur sujet.

La révolte a eu de graves conséquences parce que la Grande-Bretagne ne voulait pas perdre ses colonies américaines. Une longue guerre a éclaté, appelée la Révolution américaine. Beaucoup de gens sont morts. À la fin, les colonies ont gagné la guerre et sont devenues un pays indépendant : les États-Unis.

Mais certains habitants des colonies américaines ont voulu rester fidèles à la Grande-Bretagne. Ils se faisaient appeler Loyalistes et ils étaient fiers d'être britanniques. Ils croyaient qu'on pouvait trouver une solution pacifique au conflit qui opposait la Grande-Bretagne à ses colonies. Certaines de ces personnes avaient peur de vivre dans un pays indépendant. Beaucoup de Loyalistes ont combattu aux côtés de la Grande-Bretagne lorsque la guerre a éclaté.

Les Loyalistes n'étaient pas aimés dans les colonies américaines. On les considérait souvent comme des traîtres. Même avant la guerre, certains Loyalistes ont perdu leur maison. D'autres ont été jetés en prison et d'autres ont même été tués.

À la fin de la guerre, de nombreux Loyalistes avaient quitté les États-Unis pour venir vivre au Canada. On leur avait promis des terres parce qu'ils étaient restés fidèles à la Grande-Bretagne.

L'arrivée au Canada

Les Loyalistes sont venus à pied, en chariots et en bateaux. C'étaient des soldats, des agriculteurs, des marchands, des ouvriers spécialisés, comme des forgerons ou des bâtisseurs de navires. Des milliers d'autochtones ont combattu aux côtés de la Grande-Bretagne. Il y avait aussi beaucoup de femmes et d'enfants.

La route des Loyalistes

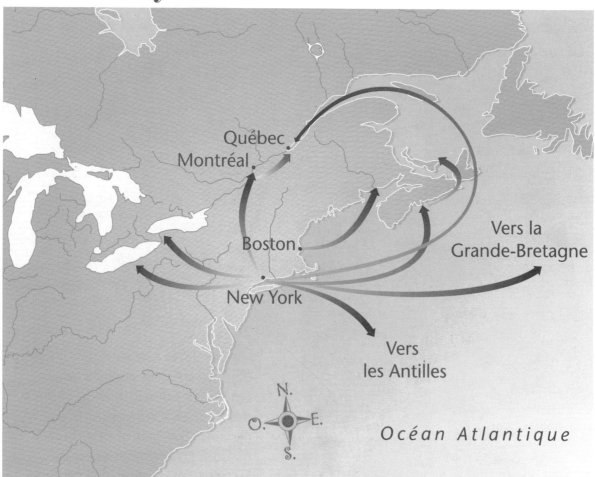

LES PREMIERS RÉFUGIÉS DU CANADA

Beaucoup de gens choisissent de s'établir dans un autre pays. Mais certaines personnes ne quittent pas leur pays par choix : elles sont obligées de le faire. La guerre, la persécution ou une catastrophe naturelle les forcent à partir de leur pays pour trouver refuge ailleurs. On les appelle des réfugiés.

Les Loyalistes qui sont venus au Canada il y a très longtemps ne voulaient pas quitter leurs maisons. Mais on ne voulait plus qu'ils restent dans les colonies américaines. Ils ne pouvaient plus vivre en sécurité là-bas. Ils ont été les premiers réfugiés du Canada.

Les réfugiés qui arrivent au Canada sont comme des étrangers dans un nouveau pays. Plusieurs d'entre eux ont beaucoup souffert. Ils doivent trouver un endroit pour se loger ; ils ont besoin de nourriture et de vêtements. Ils ont aussi besoin de travailler pour subvenir à leurs besoins et à ceux de leur famille.

Dans les Évangiles, Jésus nous enseigne qu'il faut accueillir les étrangers. Accueillir quelqu'un ne veut pas seulement dire lui souhaiter la bienvenue. Cela signifie que nous devons l'aider de notre mieux.

Beaucoup de Loyalistes sont venus vivre dans la colonie de la Nouvelle-Écosse. Un plus petit nombre de Loyalistes se sont installés sur des terres qui font partie aujourd'hui du sud de l'Ontario. Le gouverneur britannique avait acheté ces terres à des Ojibwés de la région.

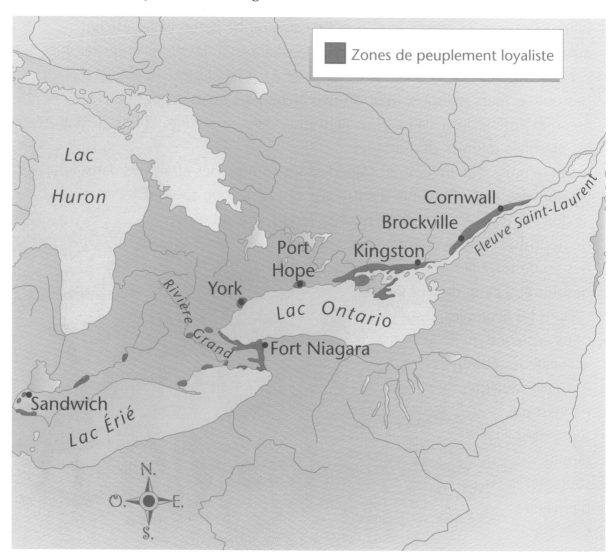

Il y a aujourd'hui des Canadiens et des Canadiennes dont l'origine de la famille remonte au temps des colons loyalistes. Parmi ces colons se trouvait un groupe d'anciens esclaves noirs qui avaient retrouvé la liberté en combattant aux côtés des Britanniques. L'un d'eux s'appelait Richard Pierpoint. Il s'est installé près de St. Catharines. Il faisait partie du régiment des rangers commandé par le colonel Butler : une unité de célèbres combattants des régions sauvages.

LES LOYALISTES IROQUOIENS

Les Iroquoiens de la colonie américaine de New York avaient une décision difficile à prendre. Ils savaient que la guerre allait éclater. Que faire? Un de leurs chefs, Joseph Brant, leur a demandé de s'allier aux Britanniques. Il croyait que c'était le meilleur moyen de protéger les terres iroquoiennes.

Beaucoup d'Iroquoiens ont combattu aux côtés des Britanniques, mais ils ont perdu leurs terres. À la fin de la guerre, les Britanniques ont donné les terres iroquoiennes aux Américains en signant un traité de paix. Cette décision a rendu les Iroquoiens furieux : ces terres n'appartenaient pas aux Britanniques, mais aux Iroquoiens. Comment le roi de Grande-Bretagne pouvait-il donner quelque chose qui ne lui appartenait pas?

Le gouverneur britannique du Canada était préoccupé par le sort des Iroquoiens. Ils avaient été fidèles à la Grande-Bretagne et, maintenant, ils n'avaient plus de terres. Le gouverneur leur a donc donné des terres situées près de la vallée de la rivière Grand, à l'ouest du lac Ontario. Beaucoup de Loyalistes iroquoiens se sont installés dans cette région où un grand nombre d'autochtones vivent toujours.

La fondation d'un nouveau foyer

À l'été de 1784, plusieurs groupes de Loyalistes ont entrepris un long voyage sur le fleuve Saint-Laurent pour se rendre dans leurs nouveaux foyers. La région située près de Kingston a été l'une des premières à recevoir ces colons.

Le gouverneur britannique voulait que les terres soient partagées de façon équitable. C'est pourquoi les colons pigeaient dans un chapeau des bouts de papier pour voir où se trouverait leur nouveau foyer. Le numéro inscrit sur leur bout de papier leur en indiquait l'endroit. Leur nouvelle vie de pionniers allait commencer.

As-tu déjà été dans une forêt dense ? Il y a tellement d'arbres qu'on voit à peine le Soleil. C'est ce que les colons loyalistes ont constaté lorsqu'ils ont vu leur nouvelle terre. Certains se sont probablement découragés en pensant à tout le travail qui les attendait. Mais il fallait se retrousser les manches !

Pour commencer le travail, les colons avaient reçu des outils et des provisions : des haches, des pelles, des binettes, des fusils de chasse, des semences, une tente pour chaque famille et des réserves de nourriture. Les colons devaient d'abord construire une cabane en bois rond pour avoir un abri durant l'hiver. Puis ils commençaient à défricher la terre pour pouvoir semer les graines au printemps.

« Combien coûtent les loyers ? »

« Où vais-je aller à l'école ? »

« Pourrons-nous acheter ici les aliments que nous aimons ? »

« Combien de temps dure l'hiver ? »

« Est-ce qu'on joue au soccer au Canada ? »

La famille Mehta se prépare à quitter l'Inde pour le Canada. Les Mehta se posent beaucoup de questions sur leur nouveau pays.

Les personnes qui s'installent dans un nouveau pays doivent apprendre beaucoup de choses nouvelles. Les premiers colons d'Amérique du Nord n'étaient pas différents. Ils sont arrivés dans un nouveau territoire couvert de forêts, de lacs et de rivières. Ils n'avaient pas à se soucier de trouver une école ou un logement. Ils voulaient plutôt connaître le climat, apprendre la façon de voyager, de faire pousser des plantes et de fabriquer les objets dont ils avaient besoin.

Les autochtones pouvaient répondre à un grand nombre de leurs questions. Voici quelques-unes des choses que les premiers colons ont apprises d'eux.

Une souche qu'on a évidée en brûlant l'intérieur est très utile. On peut y broyer du maïs avec un long pilon de bois. Elle peut aussi servir de seau à eau ou de baril.

On peut creuser les nœuds des érables et les polir pour en faire des bols de bois. Ces nœuds s'appellent broussins.

Voyager sur l'eau était souvent le moyen le plus facile de se rendre d'un endroit à un autre. Souple et léger, le canot en écorce de bouleau était un bon moyen de transport.

bleuets, pissenlits
et aiguilles d'épinette

Les premiers colons ont appris à utiliser les racines et les plantes pour se nourrir et se soigner.

Le Canada est célèbre pour son sirop d'érable. Les autochtones ont montré aux premiers colons la façon de recueillir la sève des érables et comment la faire bouillir pour obtenir du sucre.

Les premiers colons d'Amérique du Nord étaient reconnaissants envers les autochtones pour l'aide qu'ils leur apportaient.

Avec les années, le pays s'est transformé. Il y avait maintenant des fermes, des maisons et des granges à la place des forêts. La petite cabane en bois rond, qui avait abrité de nombreuses familles de pionniers pendant les premiers hivers, servait maintenant d'étable pour les animaux ou de remise.

Les colons loyalistes de l'Ontario ont connu des temps très difficiles. Certaines années, quand la récolte était mauvaise et que les gens avaient faim, les colons partageaient le peu de nourriture qu'ils avaient. Ils travaillaient, riaient et priaient ensemble. Ils étaient reconnaissants de tout ce qu'ils avaient reçu : la terre qu'ils cultivaient, les bons voisins qui les aidaient, et les familles qui travaillaient avec eux et dont ils étaient les amis. Dans leurs prières, ils demandaient à Dieu de continuer à les bénir.

Avant qu'ils construisent des églises, les gens avaient l'habitude de se réunir dans les maisons, le dimanche, pour lire la Bible et chanter des cantiques.

Le Haut-Canada

Les Loyalistes ont joué un grand rôle dans l'histoire de l'Ontario. En 1791, quelques années après leur arrivée, la colonie du Haut-Canada a été créée.

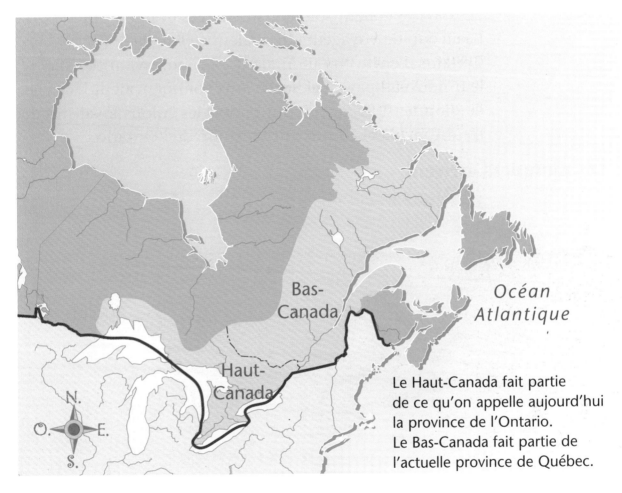

Bas-Canada

Océan Atlantique

Haut-Canada

N. O. E. S.

Le Haut-Canada fait partie de ce qu'on appelle aujourd'hui la province de l'Ontario. Le Bas-Canada fait partie de l'actuelle province de Québec.

John Graves Simcoe a été le premier gouverneur du Haut-Canada. Il a encouragé les gens à quitter les États-Unis pour s'installer en plus grand nombre dans le Haut-Canada. Certains colons venaient parce qu'ils voulaient vivre dans une colonie britannique, d'autres parce que la terre ne coûtait pas très cher. La population a augmenté. En 1806, il y avait 70 000 habitants dans le Haut-Canada. La plupart de ces personnes étaient nées dans les colonies américaines, devenues aujourd'hui les États-Unis.

Bientôt des milliers de gens partis d'Angleterre, d'Écosse et d'Irlande sont arrivés en Amérique du Nord.
Ils cherchaient des terres à cultiver et du travail pour subvenir aux besoins de leur famille. Leur long voyage à travers l'océan Atlantique durait plusieurs semaines. Les navires étaient souvent surchargés et malpropres. Beaucoup de voyageurs tombaient très malades. Certains d'entre eux mouraient en route, avant de voir leur nouveau pays. Les survivants commençaient leur vie de pionniers. Beaucoup ont rejoint les colons loyalistes du Haut-Canada et ils ont fait l'histoire de l'Ontario.

Les pionniers arrivent.

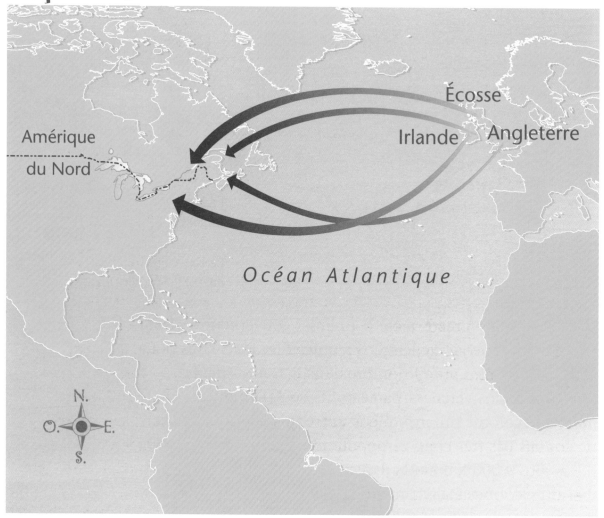

34

LA VIE
DANS LE HAUT-CANADA

Quand on visite un nouveau pays, on peut avoir envie de tenir un journal ou d'écrire des lettres à sa famille et à ses amis. C'est ce qu'ont fait quelques-uns des premiers pionniers. Grâce à leur journal et à leurs lettres, nous savons comment était la vie des pionniers dans le Haut-Canada.

Deux sœurs, Susanna Moodie et Catharine Parr Traill, ont écrit des histoires qui sont devenues très célèbres. Ces deux sœurs avaient quitté l'Angleterre avec leur mari en 1832 pour venir vivre dans le Haut-Canada.

Le livre le plus connu de madame Moodie s'intitule *Roughing It in the Bush* (*Vivre dans les bois*). Elle avait commencé à l'écrire sur le bateau qui l'emmenait au Canada. Lorsqu'elle a vu pour la première fois le fleuve Saint-Laurent, elle n'en a pas cru ses yeux : « Je me suis tournée à droite et à gauche, puis j'ai regardé de haut en bas ce fleuve majestueux ; jamais je n'avais contemplé tant de merveilles réunies en une harmonie aussi sublime ! »

Un des livres de madame Traill, *The Canadian Settler's Guide* (*Guide du pionnier canadien*), est rempli de conseils destinés aux gens qui se préparent à vivre dans le Haut-Canada. Voici ce qu'elle écrit au sujet de l'entraide : « Ne refusez pas votre aide à vos voisins dans leur détresse, car vous pourriez vous aussi vous réjouir de recevoir leur aide un jour. Dans les régions isolées en particulier, personne ne peut se passer de l'aide et du soutien de ses semblables. »

La vie des pionniers dans le Haut-Canada

Allons au village.

Nous voici en 1841. La population du Haut-Canada est de plus en plus nombreuse. Il y a quelques grandes villes, beaucoup de petits villages et des centaines et des centaines de fermes.

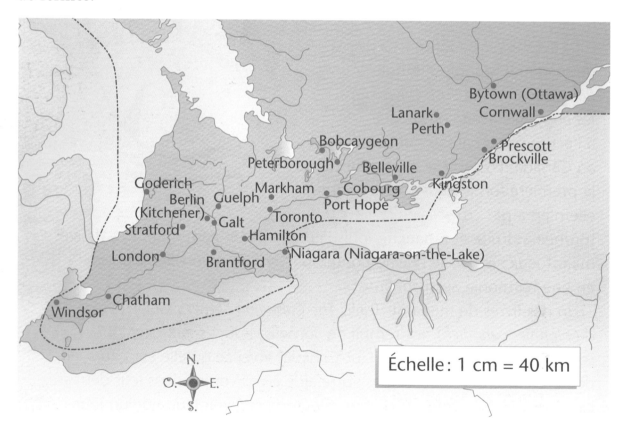

En 1841, 400 000 personnes vivaient dans le Haut-Canada.
Toronto, Kingston, London et Hamilton étaient les plus grandes villes.

Les Brennan, une famille venue d'Irlande, vivent dans l'une de ces fermes.

   Monsieur Brennan s'en va au village avec Rose et Jacob. Ils sont tellement excités que leur père a peur qu'ils tombent du chariot. Robbie aurait bien voulu venir, lui aussi. Mais Robbie et sa petite sœur Jane restent à la maison avec leur mère.

Le village le plus proche de la ferme des Brennan est à environ neuf kilomètres. Cela ne semble pas très loin, mais, au temps des pionniers, il fallait au moins deux heures aux Brennan pour parcourir cette distance.

UN VOYAGE DANS LE HAUT-CANADA

Les voyages par voie terrestre étaient lents et difficiles dans le Haut-Canada. Les routes devenaient boueuses au printemps et en automne, car elles n'étaient pas pavées. Tout le monde était mécontent de l'état des routes du Haut-Canada !

« Aïe, mon dos ! »

« Je ne pourrai plus m'asseoir de la semaine ! »

« Je suis couvert de poussière ! »

« Nous avons été pris dans la boue tout l'après-midi ! » « On irait plus vite à pied ! »

Les chemins de bois étaient les plus cahoteux de tous. Sur ces chemins, des rondins empêchaient les chariots et les diligences de s'enfoncer dans la boue.

C'était plus facile de voyager en hiver parce que les pionniers pouvaient alors aller en traîneau. Il faisait froid, mais le voyage était beaucoup plus agréable! Les gens mettaient plusieurs vêtements, l'un par-dessus l'autre, pour ne pas avoir trop froid.

Les voyages en bateau étaient beaucoup plus rapides et plus faciles que les voyages terrestres. Les canots, les voiliers, les bateaux à aubes, puis les bateaux à vapeur étaient les embarcations utilisées dans le Haut-Canada. Les Grands Lacs et le fleuve Saint-Laurent étaient les voies le plus souvent empruntées pour le transport des voyageurs et des marchandises. Il y avait même des bateaux à aubes activés par des chevaux! En avançant en cercle sur le pont, les chevaux poussaient une roue qui faisait tourner les aubes.

Au village

Au village, monsieur Brennan s'arrête d'abord au moulin à farine. Il a apporté plusieurs gros sacs de blé et veut en faire moudre les grains pour avoir de la farine. Rose et Jacob aiment regarder le meunier qui déverse les grains au centre de la meule.

LE MOULIN À FARINE

Imagine un grand bol de farine blanche. Si tu plonges la main à l'intérieur, tu sens la farine douce et soyeuse comme de la poudre. Pourtant, elle n'était pas comme cela au début.

Les grains de blé sont rugueux, durs et bruns. On doit les moudre entre deux énormes pierres plates pour obtenir de la farine douce et blanche. Voilà ce qu'on fait au moulin à farine.

Dans le Haut-Canada, la plupart
des moulins à farine fonctionnaient
grâce à l'eau. L'eau de la rivière
était retenue par une digue
dans un bassin, à côté du moulin.
Pour moudre le blé, le meunier
soulevait une porte de la digue.
L'eau arrivait et faisait tourner
la roue à aubes. La roue était fixée
à un essieu, qui faisait tourner
la meule du dessus.

On versait ensuite les grains
de blé dans un trou au centre
de la meule du dessus pour
les moudre entre les deux meules.
En tournant, la meule du dessus
écrasait le blé ; les grains moulus
sortaient petit à petit par le fond
de la meule. Les grains étaient
ensuite sassés pour séparer
les enveloppes dures de la farine
tendre. Ces enveloppes dures
forment ce qu'on appelle le petit
son ; on le donnait aux animaux.
La farine tendre servait à préparer
du bon pain.

Monsieur Brennan paie le meunier pour son travail, mais
pas avec de l'argent. À la place, le meunier prend du blé.
Cette façon d'acheter et de vendre sans utiliser de l'argent
s'appelle du troc. La plupart des fermiers du temps
des pionniers n'avaient pas d'argent. Ils pratiquaient le troc
pour obtenir ce dont ils avaient besoin.

Après avoir mis les sacs dans le chariot, monsieur Brennan doit aller chez le forgeron. Monsieur Brennan a plusieurs outils à faire réparer.

LE FORGERON

Les familles des pionniers devaient être autonomes, c'est-à-dire être capables de faire presque tout elles-mêmes : cultiver la terre, fabriquer des meubles, coudre des vêtements, construire des maisons et des granges et réparer ce

qui ne fonctionnait pas. Mais les pionniers avaient parfois besoin d'aide. Il fallait quelqu'un pour réparer les outils de métal. Les bœufs et les chevaux usaient leurs fers. Les roues des chariots et les patins des traîneaux se cassaient. Le forgeron pouvait résoudre tous ces problèmes.

Il y avait deux outils importants dans l'atelier du forgeron : la forge et l'enclume. Une forge est une sorte de foyer en pierre dans laquelle du charbon brûle. Des soufflets servaient à faire des courants d'air au-dessus du charbon pour augmenter la chaleur du feu.

Le forgeron laissait dans le feu l'outil à réparer jusqu'à ce que le métal blanchisse à cause de la chaleur. Il retirait alors l'outil du feu et le plaçait sur l'enclume, un grand et lourd bloc de fer, au dessus lisse.

En chauffant, le métal devenait assez mou pour que le forgeron puisse le frapper avec son marteau et lui donner la forme qu'il voulait.

Les forgerons fabriquaient et réparaient tous les types d'objets dont les familles de pionniers avaient besoin : les charnières des portes, les roues des chariots, les fers des chevaux, les pelles, les binettes et les haches. Les forgerons jouaient un grand rôle dans les villages de pionniers.

Un forgeron au travail à *Upper Canada Village*, une reconstitution d'un village de pionniers.

Tout en réparant les outils, le forgeron parle avec monsieur Brennan. Le forgeron sait toujours ce qui se passe dans le village. Monsieur Brennan essaie de tout bien retenir, parce qu'il sait que sa femme lui demandera des nouvelles du village.

« Il faut rentrer à la maison maintenant », dit monsieur Brennan en quittant l'atelier du forgeron. Jacob et Rose ont l'air tellement désappointé que monsieur Brennan pouffe de rire. Il sait que les enfants veulent aller au magasin général.

« D'accord, d'accord. Nous avons bien le temps de nous arrêter ailleurs », dit-il.

LE MAGASIN GÉNÉRAL

Aujourd'hui, quand on a besoin de clous ou de corde, on va à la quincaillerie. Pour acheter de la nourriture, on va à l'épicerie. Quand on a besoin de tissu pour faire une robe ou une chemise, on va dans un grand magasin ou dans un magasin où on vend des articles de couture.

Dans les villages de pionniers, c'était différent. Pour tous ces articles, les gens allaient au magasin général. Au magasin général on vendait une foule d'objets : des barils de sel, des cordes, des clous, des lames de hache, des épices, des rouleaux de tissu, des assiettes, des bonbons, des plats, des casseroles, du thé. Le commerçant commandait tous ces articles dans la ville la plus proche.

Pour les familles de pionniers, certains des articles vendus au magasin général étaient indispensables, par exemple, le sel qui servait à conserver la viande. On pouvait acheter d'autres articles simplement pour se faire plaisir, un service de vaisselle en porcelaine, par exemple. Mais la plupart des pionniers n'avaient pas assez d'argent pour acheter ce genre d'articles. Ils pouvaient cependant les admirer et faire des projets pour les acheter plus tard.

La plupart des magasins généraux servaient aussi de bureaux de poste. On venait prendre au magasin général le courrier livré par la diligence.

Une femme habillée comme au temps des pionniers, qui travaille dans un magasin général reconstitué, à *Upper Canada Village.*

Au magasin général, monsieur Brennan achète des clous et une surprise qu'il glisse dans sa poche. Monsieur Caron, le commerçant, note ces achats dans son livre. Monsieur Brennan les paiera avec des boisseaux de blé et de pommes de terre et, peut-être, avec du beurre et des œufs.

« Rose, Jacob. Il faut rentrer à la maison. »

Lorsqu'ils arrivent à la ferme, c'est presque l'heure du souper. Rose et Jacob dorment tous les deux à poings fermés.

D'autres endroits dans le village

Au village, il y a une école, mais elle est trop loin pour Jacob et Rose. Ensemble, les Brennan et d'autres familles du voisinage ont construit une école pour leurs enfants. Jacob et Rose doivent marcher environ 40 minutes pour aller à l'école. En hiver, il faut parfois marcher presque une heure à cause de la neige.

Les écoles du temps des pionniers étaient de petites maisons en bois rond où il y avait une seule salle de classe. Dans la plupart des écoles, un gros poêle à bois chauffait la classe. Des pupitres et des bancs en bois occupaient chaque côté de la classe. Au milieu, il y avait des petits bancs pour les plus jeunes élèves.

Il n'y avait pas de tableau noir et les livres étaient rares. Le papier coûtait cher. Quand ils en avaient, les élèves écrivaient sur des ardoises.

Les élèves apprenaient les choses les plus importantes, c'est-à-dire à lire, à écrire et à compter. Dans la classe, les élèves n'avaient pas tous le même âge, alors les plus vieux aidaient les plus jeunes. Les élèves apprenaient leurs leçons en faisant beaucoup d'exercices. Ils épelaient les mots, en chœur, à voix haute. Ils récitaient ou bien ils chantaient les tables de multiplication tous ensemble. On faisait parfois des concours d'épellation entre les écoles. C'est ce qu'on appelait en anglais *spelling bees*.

Une école reconstituée, à *Upper Canada Village*.

Ce n'était pas facile d'enseigner dans les écoles, à l'époque des pionniers. Les enseignantes et les enseignants avaient très peu de formation et les élèves ne venaient pas tous les jours. En automne, les enfants restaient à la maison pour aider leurs parents pendant les récoltes. En hiver, certains élèves ne pouvaient pas se rendre à l'école à cause du mauvais temps.

La discipline était très grande. Si les élèves se comportaient mal ou s'ils étaient impolis avec leur enseignante ou leur enseignant, ils savaient à quoi s'attendre : ils recevaient des coups de baguette. Voici une courte histoire sur des élèves qui se sont attiré des ennuis. C'est une histoire vraie. On peut la lire dans un livre intitulé *Pioneer Days in Ontario* (*Au temps des pionniers en Ontario*).

« Un jour, quelqu'un a appelé l'enseignant à l'extérieur de la classe. Il est sorti et a fermé la porte derrière lui. Aussitôt, un des élèves a entonné l'air d'une chanson, et tous les autres se sont levés pour se lancer dans une danse écossaise. Au milieu du brouhaha, la porte s'est ouverte, le maître d'école est entré en vitesse et il a fouetté tous les élèves avec un bâton, moi compris. »

LES SŒURS DE LORETTO

Dans l'après-midi du 16 septembre 1847, cinq jeunes religieuses ont débarqué de leur navire et ont posé le pied dans un nouveau pays : le Canada. Leur long voyage depuis l'Irlande était enfin terminé.

Elles avaient parcouru tout ce chemin parce que l'évêque Michael Power avait besoin d'enseignantes. Des familles arrivaient tous les jours à Toronto et il n'y avait pratiquement pas d'écoles pour les enfants catholiques. L'évêque a donc demandé l'aide des sœurs de Loretto, qui ont répondu à l'appel. Deux semaines après leur arrivée, les sœurs accueillaient déjà les élèves dans la première Académie Loretto.

Mère Teresa Dease était l'une des cinq sœurs de Loretto arrivées dans le Haut-Canada en 1847.

Les sœurs de Loretto étaient un des nombreux ordres religieux qui envoyaient des hommes et des femmes pour aider les habitants du Haut-Canada. Les sœurs, les frères et les prêtres ont ouvert des écoles, des hôpitaux, des orphelinats et des maisons pour les pauvres. Ces pionniers et ces pionnières dévoués ont joué un grand rôle au Canada.

La scierie est un autre endroit important dans le village des Brennan. Quand monsieur Brennan veut des planches, il doit apporter son bois à la scierie. Le bois de sciage servait à fabriquer toutes sortes de choses : des maisons, des granges, des cabanes, des meubles et des chariots. Avant les scieries, les fermiers devaient couper eux-mêmes leur bois à la main pour en faire des planches. Il fallait deux personnes pour faire ce travail long et pénible.

LES CORDONNIERS AMBULANTS

Les familles de pionniers fabriquaient à peu près tout ce dont elles avaient besoin. Pour les chaussures, c'était plus difficile. Les pionniers pouvaient se fabriquer des mocassins en peau de chevreuil, mais pour les chaussures solides à semelle dure, ils comptaient sur la visite du cordonnier.

Les cordonniers ambulants transportaient leur atelier avec eux. Ils allaient de ferme en ferme pour réparer les bottes et les souliers. Ils fabriquaient aussi des chaussures, mais pas fréquemment, parce que les adultes et les enfants n'avaient pas de chaussures neuves. On gardait les bottes et les souliers jusqu'à ce qu'ils soient complètement usés.

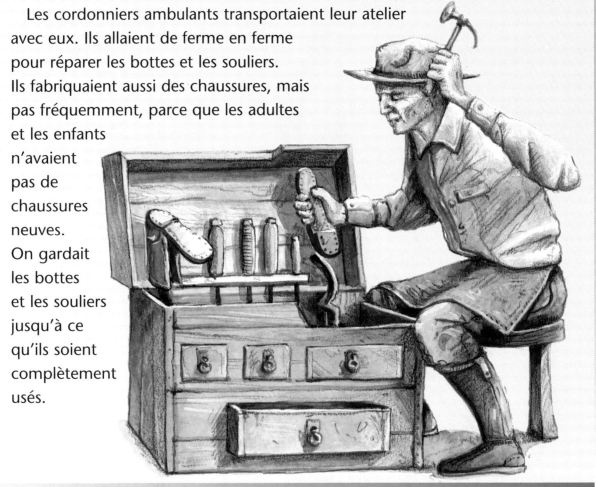

Dans les plus gros villages et dans les villes, on trouvait davantage de magasins et de commerces. Il y avait des cordonniers, des ferblantiers, des tailleurs, des médecins et des menuisiers. Il y avait parfois un journal local. Dans certaines villes et dans certains gros villages, on trouvait aussi des églises.

LES PRÉDICATEURS AMBULANTS ET LES ÉGLISES

Au tout début, la plupart des familles de pionniers vivaient très loin des églises. Elles comptaient sur la visite des prédicateurs ambulants qui voyageaient à cheval de ferme en ferme. La plupart des prédicateurs du temps des pionniers étaient des méthodistes.

L'arrivée d'un prédicateur était un grand événement. Les familles se réunissaient le plus souvent à l'école ou dans des maisons du village pour prier ensemble, écouter le sermon du prédicateur et chanter des cantiques. Autrefois, il y avait très peu de prêtres catholiques pour les colons loyalistes. Les familles catholiques avaient hâte de voir un prêtre et de célébrer l'Eucharistie. Il y avait toujours des bébés à baptiser, des jeunes hommes et des jeunes filles qui voulaient se marier.

La première église catholique du Haut-Canada a été construite en 1787 à Sandwich (aujourd'hui Windsor), avec l'aide des colons français et des Hurons.

Cette aquarelle montre la première église catholique du Haut-Canada. Le peintre Edward Walsh a peint la scène en 1804.

Chez les Brennan

L'après-midi tire à sa fin à la ferme des Brennan. Jane dort dans son berceau et madame Brennan prépare le souper : un ragoût de lard salé, avec des pommes de terre et des navets. Robbie court sans cesse dehors pour guetter l'arrivée de son père.

« La prochaine fois, j'irai au village », dit-il.

« On verra », répond sa mère.

Quelques minutes plus tard, elle entend Robbie crier : « Ils arrivent, ils arrivent ! »

Après le souper, monsieur Brennan fouille dans sa poche et en sort une surprise : du bonbon. « Robbie aura le plus gros morceau, dit-il, parce qu'il a beaucoup aidé sa mère pendant que nous étions au village. »

Dans une maison de pionniers, tout le monde est très occupé. Les hommes et les femmes travaillent sans arrêt du matin au soir. Les enfants, à mesure qu'ils grandissent, sont appelés à aider leurs parents. Ils ont besoin d'eux.

Il y a beaucoup de choses à faire. Voici quelques-unes des tâches qu'il faut accomplir.

La réparation et la fabrication des meubles se faisaient souvent durant l'hiver.

Après avoir coupé et ramassé le blé, on devait le battre et le vanner pour séparer les grains des tiges.

Réparer le toit de la grange, remplir les fissures des murs de bois rond de la maison, ramoner la cheminée : il y avait toujours quelque chose à faire.

Il fallait des années pour débarrasser les champs des souches.

Le sel permet de conserver
la viande. D'abord, on coupe
la viande en morceaux, puis on
la met dans un tonneau avec
beaucoup d'eau et de sel.

Madame Brennan file la laine. Plus tard, Rose roulera
la laine en écheveaux. La laine servira à faire des
vêtements chauds pour toute la famille.

Les plumes d'oie servent
à fabriquer de doux oreillers
et des matelas moelleux. Attraper
une oie et lui enlever ses plumes
était tout un art !

Le soir, les Brennan allument
des chandelles pour s'éclairer.
Les chandelles ordinaires étaient faites
avec du suif, c'est-à-dire du gras animal.

Madame Brennan soigne aussi les membres de sa famille quand ils sont malades, car il n'y a pas de médecin dans les environs. Les tisanes sont les médicaments les plus courants. On les prépare en faisant bouillir des racines et des plantes séchées. La tisane d'églantier, par exemple, sert de tonique. Pour guérir les grosses toux, madame Brennan prépare un sirop de feuilles de sauge, de vinaigre et de miel.

Rose et Jacob s'occupent de certaines tâches domestiques quotidiennes. Même Robbie a quelques petites choses à faire. Il aide Jacob à ramasser du bois pour le feu et il berce Jane dans son berceau quand elle pleure. Jacob apporte des bûches dans la maison et transporte l'eau du puits dans de grands seaux en bois. Il conduit aussi les deux vaches à l'étable à la fin de la journée et il apprend à les traire.

Rose nourrit les poulets, ramasse les œufs et aide sa mère à surveiller Robbie et Jane. Elle apprend à filer la laine et à tisser. Elle baratte le beurre pour la famille ; c'est un travail épuisant.

Mais il y a aussi des moments pour s'amuser. Monsieur Flynn, un voisin irlandais, joue du violon. Lorsque les Flynn et les Brennan se réunissent, la ferme se remplit de musique et de danse. Parfois, Rose vient s'asseoir à côté de sa mère et de madame Flynn pour écouter des histoires du passé, à l'époque où l'on défrichait la terre et où on construisait la première cabane de bois rond.

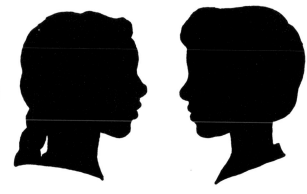

Les enfants jouent aussi à cache-cache et au chat. Ou bien ils demandent à madame Flynn de découper leur portrait en silhouette. Tout le monde est d'accord : ses silhouettes sont très réussies.

LES JOUETS ARTISANAUX

As-tu des jouets faits à la main ? Au temps des pionniers, presque tous les jouets des enfants étaient fabriqués à la maison. On vendait des jouets dans les grandes villes, mais seuls les gens riches avaient assez d'argent pour en acheter.

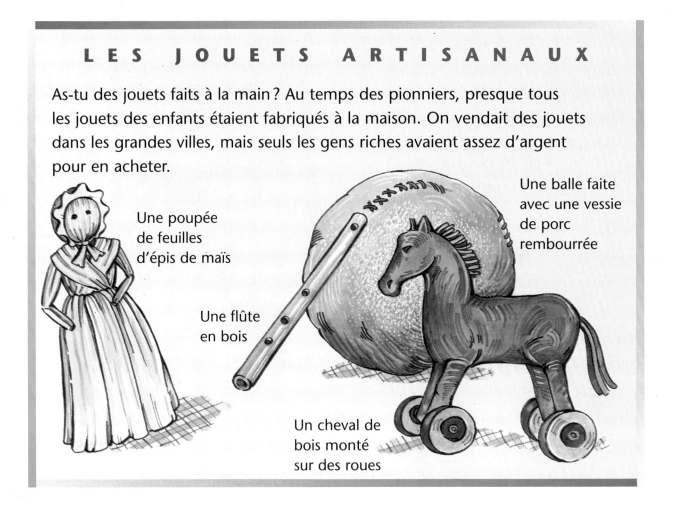

Une poupée de feuilles d'épis de maïs

Une balle faite avec une vessie de porc rembourrée

Une flûte en bois

Un cheval de bois monté sur des roues

À la fin de leur longue journée, les membres de la famille Brennan vont se coucher. Ils ont beaucoup travaillé et il est temps de se reposer.

Mais Rose ne dort pas. Elle imagine comment elle sera plus tard, quand elle sera grande. Au magasin général, monsieur Caron lui a dit qu'elle devenait une jeune femme. Rose se demande ce que sera sa vie d'adulte. Est-ce qu'elle aura une petite fille ? Lui racontera-t-elle des histoires du passé, comme sa mère et madame Flynn ? Vivra-t-elle encore à la ferme ? Elle habitera peut-être dans un village ou même dans une grande ville. Ce serait amusant.

Rose finit par s'endormir en rêvant à l'avenir.

Les communautés rurales

Une foule de changements

Essaie d'imaginer ce qui a pu arriver au petit village situé près de la ferme des Brennan.

Lorsque Rose était une petite fille, environ 50 personnes habitaient au village. Trente ans plus tard, on comptait 800 habitants. Il y avait alors des chemins de fer dans le Haut-Canada. Une voie ferrée passait tout près du village. Les fermiers venaient au village pour expédier leurs céréales par le train. De nouveaux magasins et des commerces ouvraient leurs portes.

Au fil des ans, le village a grandi ; il est devenu une petite ville. Il y a eu une manufacture de chaussures et beaucoup de petits commerces. À cette époque, cette petite ville comptait presque 2 000 habitants. Les charpentiers et les maçons n'arrêtaient pas de construire des maisons. La manufacture et la plupart de ces maisons ont été bâties sur des terres qui servaient autrefois à l'agriculture.

1840

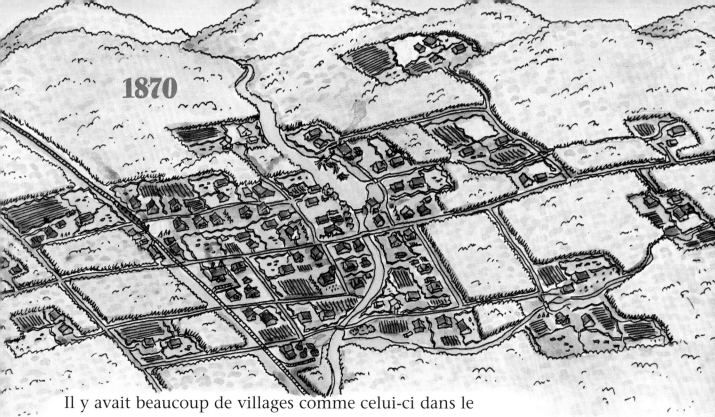

1870

Il y avait beaucoup de villages comme celui-ci dans le Haut-Canada. Certains villages ont grossi et sont devenus de petites villes. Certaines petites villes ont grossi et sont devenues de grandes villes. La vie des gens et leur travail ont changé.

À l'époque des pionniers, la majorité des habitants du Haut-Canada étaient des fermiers. Ils vivaient dans des communautés rurales. Le mot « rural » veut dire à l'extérieur d'une ville. De nos jours, en Ontario, la plupart des gens vivent et travaillent dans des communautés urbaines. Le mot « urbain » veut dire à l'intérieur d'une ville.

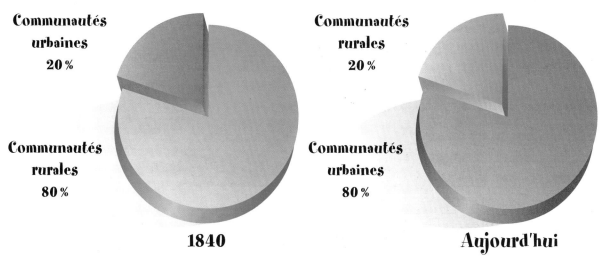

Communautés
urbaines
20 %

Communautés
rurales
80 %

1840

Communautés
rurales
20 %

Communautés
urbaines
80 %

Aujourd'hui

Une communauté est un groupe de personnes qui ont toutes quelque chose en commun. Une famille, c'est une très petite communauté. Un quartier, c'est un autre genre de communauté. Le lien qui unit les membres d'une communauté n'est pas le même que celui qui unit les membres d'une famille ou les habitants d'un même quartier. C'est un lien d'une autre sorte. Dans une bonne communauté, les membres savent qu'ils peuvent toujours compter les uns sur les autres.

Dans une communauté rurale, la terre est un des liens qui unit les gens. En Ontario, il y a différentes sortes de communautés rurales.

Les communautés agricoles

Dans une communauté agricole, les gens utilisent la terre pour faire pousser des plantes et élever des animaux. Il y a beaucoup de communautés agricoles en Ontario. Presque toutes ces communautés sont situées dans le sud de la province. C'est dans cette région qu'on trouve les meilleures terres et le climat le plus favorable à l'agriculture.

Les pommes, les pêches, les cerises et les raisins sont quelques-uns des fruits cultivés dans la région de Niagara, en Ontario. Cette région est célèbre pour ses vignes et ses vergers.

Les fermes laitières de l'Ontario produisent plus de deux milliards de litres de lait par année! Une partie de ce lait est utilisée pour faire du beurre, du fromage, de la crème glacée et du yogourt.

Dans les champs, en Ontario, on pratique plusieurs types de cultures : le blé, le seigle, l'avoine, l'orge, le maïs, le soja et le foin.

On élève des porcs, des bovins et des moutons dans un grand nombre de fermes ontariennes.

Dans les communautés agricoles, presque toutes les terres sont utilisées pour cultiver des plantes et élever des animaux. Mais on trouve aussi des villages et des petites villes où il y a des magasins, des écoles, des églises et d'autres services dont les gens ont besoin.

Les communautés forestières

Savais-tu que la plupart des régions de l'Ontario sont encore couvertes de forêts ? Si tu vis dans une grande ville, tu trouveras cela peut-être difficile à croire. La plus grande région forestière de l'Ontario est située dans le nord de la province.

Dans une communauté forestière, les gens coupent les arbres qui poussent sur les terres. Le bois sert à construire des maisons et à fabriquer des meubles. On l'utilise aussi pour faire du papier ou pour se chauffer.

Le papier est fabriqué dans une usine de pâtes et papier. On utilise du papier recyclé, des troncs d'arbres, des copeaux de bois, du bran de scie, certains produits chimiques et de l'eau. On mélange le tout comme pour faire un grand ragoût jusqu'à ce qu'on obtienne une pâte appelée pâte à papier. Ensuite, la pâte à papier est séchée et pressée avant d'être transformée en énormes rouleaux de papier.

On plante de jeunes pousses pour remplacer les arbres qui ont été coupés. Ce travail est extrêmement important. On utilise parfois le mot « reboisement » pour le décrire ; cela veut dire faire pousser une nouvelle forêt.

On coupe les arbres avec de grosses machines. Une partie du bois sera envoyée dans une scierie pour faire des planches. L'autre partie ira dans une usine de pâtes et papier pour être transformée en papier.

Beaucoup de gens vivent et travaillent dans des communautés forestières. Il y a des pompiers pour protéger les forêts et des scientifiques pour étudier les arbres et les semences. Il y a aussi des personnes qui vivent et travaillent dans les villages et les petites villes des alentours. Comme tout le monde, ceux et celles qui vivent dans les communautés forestières ont besoin d'écoles, de magasins, d'églises et d'autres services.

Les communautés minières

Dans les communautés minières, les terres ne sont pas utilisées de la même façon que dans les communautés agricoles ou forestières.

On trouve des minéraux précieux, comme le fer et le nickel, à l'intérieur de la roche, sous la surface de la terre. Les mines sont de larges trous qu'on creuse dans le sol pour extraire les minéraux. Le fer et le nickel servent à fabriquer des objets comme des voitures, des outils en métal, des casseroles ou des poutres d'acier pour les bâtiments.

L'exploitation minière est un travail difficile et parfois dangereux.

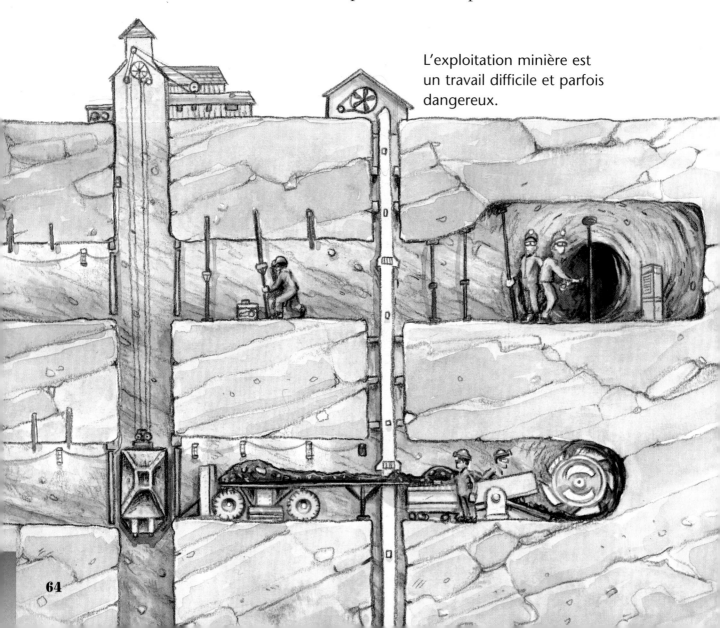

La majorité des communautés minières sont situées dans le centre et dans le nord de l'Ontario. Dans ces régions, le sol est très rocailleux et il n'y a pas beaucoup de terre. À certains endroits, il n'y a pas de terre du tout.

LE BOUCLIER CANADIEN

Une immense zone d'anciennes formations rocheuses couvre près de la moitié du Canada et la plupart des régions de l'Ontario. Certaines roches ont des milliards d'années. Elles faisaient partie de montagnes énormes. Le vent, l'eau et la glace ont usé ces montagnes pendant des millions et des millions d'années. Des glaciers, c'est-à-dire d'immenses blocs de glace, ont repoussé presque toute la terre qui se trouvait sur ces montagnes. Aujourd'hui, il ne reste plus que de la roche. Elle forme ce qu'on appelle le Bouclier canadien.

Cette roche contient des minéraux très précieux : de l'or, de l'argent, du nickel et du fer qu'on extrait en creusant très profondément dans le sol. À certains endroits, en Ontario, on a découvert ces minéraux en construisant les voies ferrées. C'est ce qui s'est produit à Cobalt, il y a environ 100 ans.

Peux-tu apercevoir une partie du Bouclier canadien sur cette photographie ?

Une mine abandonnée, près de Cobalt.

Après plusieurs années et plusieurs collectes de fonds, le vieux théâtre *Classic* a été rénové et a rouvert ses portes en 1994. Aujourd'hui, les habitants de Cobalt peuvent y voir des pièces de théâtre, assister à des spectacles de musique et de danse. Le *Classic* a aussi une école de théâtre pour les enfants de la ville.

Il n'y avait pas de ville à Cobalt quand on y a découvert de l'argent. Mais bientôt les gens ont commencé à affluer dans la région dans l'espoir de faire fortune. Plusieurs mines ont été ouvertes et on a trouvé de grandes quantités d'argent et de cobalt. La ville de Cobalt a grossi. On y a même compté plus de 10 000 habitants à une certaine époque.

Un jour, on a commencé à fermer les mines parce qu'il ne restait presque plus de minerai d'argent à extraire. Alors, les gens ont quitté la ville. Les minéraux ne sont pas une ressource renouvelable. On peut planter de nouveaux arbres, mais on ne peut pas enfouir de nouveaux minéraux dans le sol.

Aujourd'hui, Cobalt est devenue une petite ville. Les mineurs doivent aller travailler dans d'autres communautés du nord de l'Ontario. Ils doivent alors quitter leur famille pendant plusieurs semaines.

Mais les gens qui habitent encore à Cobalt aiment leur petite communauté. C'est leur foyer. Chaque été, des artistes viennent peindre des tableaux de la ville. Le vieux théâtre a rouvert ses portes. Il n'y a plus de minerai d'argent, mais la communauté minière de Cobalt a survécu.

ALLONS DANS LES COMMUNAUTÉS RURALES.

Certaines communautés rurales accueillent de nombreux visiteurs, surtout pendant l'été.

L'Ontario est plein de lacs et de rivières magnifiques où les gens viennent camper, pêcher, chasser, nager, faire du bateau et de la randonnée. Dans beaucoup de parcs provinciaux, on a aménagé des endroits où les visiteurs peuvent apprécier les beautés de la nature.

Dans certaines petites communautés rurales, la population augmente beaucoup en juillet et en août lorsque les gens de la ville viennent y passer leurs vacances. Dans ces villages et ces petites villes, beaucoup de gens dépendent des vacanciers pour vivre.

Dans les communautés rurales, des festivals populaires attirent aussi des visiteurs venus des communautés urbaines. Durant les foires d'automne, on peut faire beaucoup d'activités, comme des promenades en charrette à foin. On peut y voir beaucoup d'animaux, de fruits et de légumes et assister à des concours de pâtisserie. La petite ville de Fergus tient chaque année les *Highland Games*. Le village de Bala a son festival de la canneberge. Et si tu préfères les concerts, tu peux aller à Shelburne pour le concours de violoneux.

La vie dans une communauté rurale

La famille Muller vit dans une communauté rurale du sud de l'Ontario. Elle possède une petite ferme laitière. Le grand-père de Opa Muller a été le premier fermier à cultiver ces terres il y a plus de 100 ans.

Voici la famille Muller, dont les ancêtres sont venus d'Allemagne. Il y a John et Carol Muller, leurs enfants, Anna, Will et Mike, et le père de monsieur Muller, Opa Muller. « Opa » est un mot allemand qui veut dire grand-papa.

Depuis l'époque des pionniers, il y a eu beaucoup de changements dans les fermes. Rose et Jacob Brennan seraient très étonnés d'apprendre que la traite des vaches, dans la ferme des Muller, se fait maintenant à la machine. Monsieur et madame Brennan seraient fascinés par les grosses machines destinées à couper, ramasser, battre et vanner les céréales qui poussent dans les champs.

Mais, malgré tous ces changements, il y a toujours beaucoup de travail à faire sur la ferme des Muller.

Sur la ferme des Muller, on doit traire 40 vaches deux fois par jour. Le lait coule dans des tuyaux jusqu'à un grand réservoir réfrigéré. Un camion vient vider régulièrement ce réservoir en pompant le lait. Le lait est ensuite transporté dans une usine de transformation laitière.

Les étables doivent être nettoyées tous les jours. Il est important de garder les vaches propres, car c'est comme cela qu'elles peuvent rester en santé.

Les vaches laitières ont besoin
de beaucoup de nourriture.
Elles mangent de l'herbe dans
les pâturages et elles reçoivent aussi
un mélange de foin et de maïs.

Les Muller possèdent 75 hectares de terre et ils louent
80 autres hectares. Ils utilisent une partie de ces terres
en pâturages. Le reste sert à faire pousser des céréales,
du foin et du maïs pour nourrir les vaches. Vers la fin
de l'été, les Muller engagent un fermier qui a une
moissonneuse-batteuse pour les aider à faire les foins.

Ce veau s'appelle Wayne. Pourquoi Mike lui a-t-il donné ce nom?

Les Muller sont aussi très occupés au printemps. Les veaux naissent et ils ont besoin de soins particuliers. Mike aime donner un nom à chacun des veaux. En ce moment, le hockey l'intéresse. C'est pourquoi les veaux portent le nom de joueurs célèbres.

Tous les matins de la semaine, deux autobus scolaires s'arrêtent devant la ferme des Muller. Mike et son grand frère vont à l'école Saint-Bernard, qui est située dans une petite ville tout près de la ferme. Anna doit aller plus loin. Son école secondaire catholique est située dans une petite ville à environ 30 kilomètres de la ferme. Lorsque les enfants reviennent à la maison après l'école, ils n'ont pas besoin de demander s'il y a du travail à faire!

Depuis environ deux ans, madame Muller travaille en ville trois jours par semaine dans une entreprise de matériel agricole. Les enfants grandissent et la famille a besoin de l'argent qu'elle gagne.

La ville où madame Muller travaille est un endroit agréable. Quand elle se promène sur la rue Principale, madame Muller rencontre toujours des personnes qu'elle connaît.

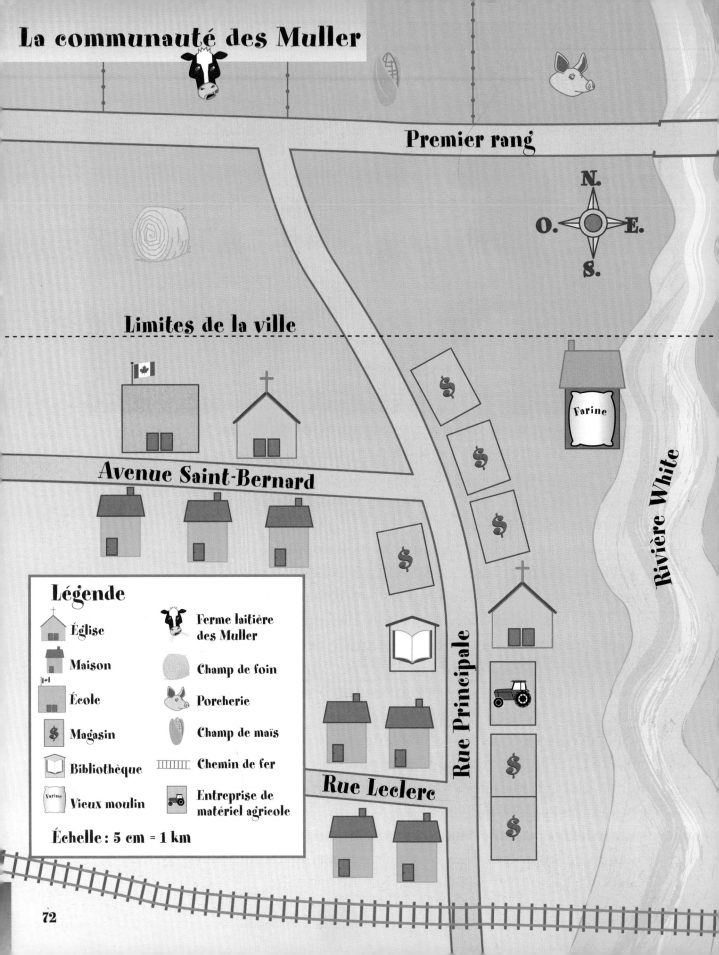

La communauté des Muller

Premier rang

N. O. E. S.

Limites de la ville

Avenue Saint-Bernard

Rue Principale

Rue Leclerc

Rivière White

Farine

Légende

Église		Ferme laitière des Muller	
Maison		Champ de foin	
École		Porcherie	
Magasin		Champ de maïs	
Bibliothèque		Chemin de fer	
Vieux moulin		Entreprise de matériel agricole	

Échelle : 5 cm = 1 km

Parfois, les enfants de la famille Muller vont en ville avec leur grand-père. Pendant leur promenade, le grand-père répète toujours la même chose : « Cet endroit devient trop grand ! On se croirait dans une grande ville. »

Et les enfants Muller répondent eux aussi toujours la même chose : « Oh, grand-papa, ce n'est pas si grand que ça ! »

La population de leur petite ville a beaucoup augmenté depuis les dix dernières années. Leur communauté est située si près de la grande ville que certaines personnes vont y travailler tous les jours. Certains fermiers ont vendu leurs terres parce qu'ils avaient trop de difficulté à gagner leur vie. Dans leur petite ville, certains habitants n'ont pas de travail. On a même dû ouvrir un comptoir alimentaire. Ces changements se produisent dans plusieurs régions rurales.

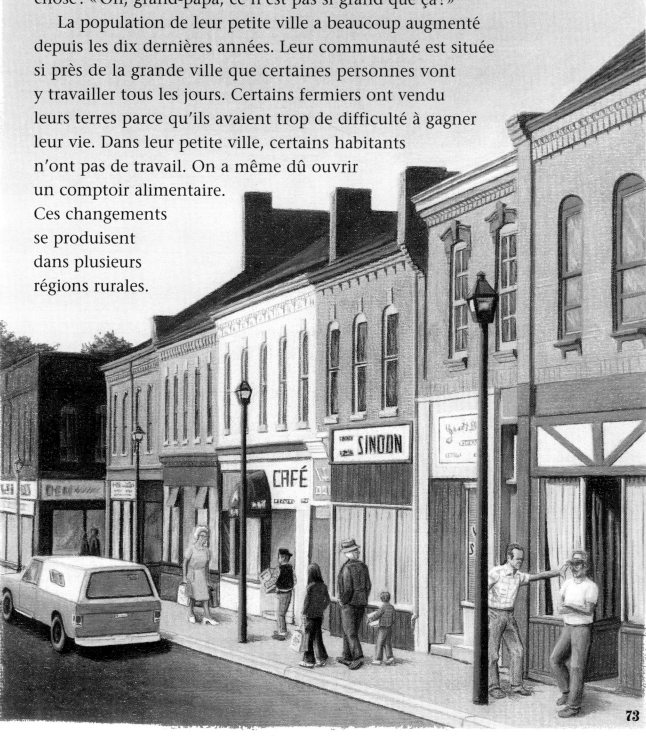

Malgré tous ces changements, la région où vivent les Muller reste une communauté rurale tranquille. La communauté est petite et entourée de terres cultivées. Chaque automne, il y a une grande foire agricole. Presque tous les gens des environs viennent à la foire. Les enfants y présentent les animaux dont ils se sont occupés depuis le printemps : des moutons, des porcs, des chèvres et des veaux.

En général, dans les petites communautés rurales, tous les gens se connaissent et sont solidaires. La communauté des Muller n'est pas différente. Il y a toujours quelqu'un prêt à donner un coup de main au centre communautaire ou à diriger le club 4 H des enfants. Dans cette communauté rurale, les gens savent qu'ils peuvent compter les uns sur les autres.

C'est un grand jour à la ferme des Muller. C'est l'anniversaire
de madame Muller, et elle est certaine que les enfants lui ont
préparé une surprise. Ils n'arrêtent pas de se pousser et
de ricaner. Même son mari et Opa Muller ne peuvent
s'empêcher de sourire.

« Allez-vous enfin me dire ce qui se passe ou dois-je
le deviner ? » demande-t-elle.

« Tu dois fermer les yeux et venir dans le hangar », dit Anna.
Son cadeau d'anniversaire l'attendait dans le hangar.

« Oh !, dit madame Muller, des bébés autruches ! »

« Est-ce que tu es contente, maman ? » demande Mike.
« Je vais t'aider à t'occuper d'eux. »

« Eh bien, dit-elle, nous avons élevé tout ce qu'on a pu
dans le coin : des canards, des lapins, des poulets, et même
une chèvre. Alors, pourquoi pas des autruches ! »

La protection de l'environnement dans les communautés rurales

As-tu déjà pris soin des plantes ou de l'animal de quelqu'un ? Les plantes, tu dois penser à les arroser et t'assurer qu'elles ont assez de lumière. Tu dois aussi donner à manger à un animal et tout nettoyer.

Quand tu t'occupes de quelque chose qui appartient à une autre personne, tu deviens un gardien ou une gardienne. Lorsque tu fais bien ton travail, tu es un bon gardien, une bonne gardienne.

Nous sommes tous les gardiens de la création. Dieu nous a confié le monde et nous a demandé de prendre soin de la terre, de l'eau, de l'air, des plantes et des animaux. Le monde est notre foyer et nous devons veiller sur lui.

Partout où ils vivent, les gens ont une influence sur leur environnement. Quand les pionniers sont arrivés en Ontario, ils ont coupé des arbres, ils ont semé des plantes et ils ont construit des routes. Ils ont dû faire tout cela pour bâtir leurs maisons et nourrir leur famille. Ils ont transformé la nature, mais sans la détruire.

Dans les communautés rurales, la terre est très importante.
Si les gens ne s'en occupent pas bien, la terre peut
se dégrader. Voici quelques exemples d'actions qui nuisent
à l'environnement :

- Certains pesticides et fertilisants empoisonnent la terre
  et les cours d'eau.

- Quand les gens coupent trop d'arbres, les oiseaux
  et les animaux perdent leur habitat naturel.

- Les usines de pâtes et papier utilisent beaucoup
  de produits chimiques pour la fabrication du papier.
  Les déchets de ces usines polluent nos lacs et nos rivières.

- L'exploitation minière produit, elle aussi, des déchets
  dangereux. La fumée des fours et la poussière qui
  se dégage des montagnes de roches détruisent les plantes
  et les animaux.

Ce sont de graves problèmes. Que peut-on faire pour les résoudre?

Tu crois peut-être que nous devrions arrêter de cultiver le sol, de couper les arbres et d'extraire les minéraux du sol. Mais nous avons besoin de nourriture pour manger, de bois pour construire nos maisons et de minéraux pour fabriquer des outils et des voitures. Nous devons trouver le moyen de protéger la Terre tout en l'exploitant. Nous devons aussi essayer de réparer les dommages que nous causons à l'environnement.

Certains fermiers emploient des méthodes de culture qui réduisent l'utilisation des fertilisants chimiques. Ils font pousser différentes plantes, comme les légumineuses et le blé, dans le même champ. Chacune de ces plantes prend des nutriments différents dans le sol. Il n'est donc pas nécessaire d'utiliser autant de fertilisants. On vend des produits cultivés sans produits chimiques dans toutes les régions de l'Ontario.

La façon la plus rapide et la plus économique de couper des arbres est d'abattre tous les arbres qui se trouvent dans un secteur. C'est ce qu'on appelle la coupe à blanc. Cette méthode est mauvaise, car ce ne sont pas tous les arbres coupés qui sont utilisés. La coupe à blanc détruit aussi l'habitat naturel des oiseaux et des autres animaux.

Il existe une autre méthode de coupe. Elle demande plus de temps, mais elle cause beaucoup moins de dégâts. L'image ci-dessus illustre la coupe sélective. Dans la coupe sélective, seuls quelques arbres sont abattus. De cette façon, les jeunes arbres sont épargnés et peuvent continuer à grandir. Les habitats naturels sont ainsi protégés.

Inco, une grande entreprise minière, a revitalisé une grande partie des terres de la région de Sudbury. Aujourd'hui, de magnifiques champs de plantes sauvages, des arbres et des étangs purs ont remplacé les terres désertes et recouvertes de déchets miniers d'autrefois. De nombreux semis de pins sont faits chaque année. Les oies sauvages sont de retour. Elles aiment tellement la région qu'elles y reviennent chaque printemps.

Dieu nous a donné le don de l'intelligence. Nous pouvons utiliser ce don pour trouver de nouveaux moyens d'être de bons gardiens et de bonnes gardiennes de la Terre et de toutes les créatures qui l'habitent. Chaque jour, dans le monde entier, des gens travaillent pour protéger la nature. C'est une lourde tâche, et nous devons, tous et toutes, faire un effort pour y parvenir.

Les communautés urbaines

Allons en ville.

Les Léger vivent dans une petite ville. Monsieur Léger est directeur d'usine et madame Léger est infirmière à domicile. Ils ont trois enfants : Thérèse, Michel et Jean.

L'entreprise propriétaire de l'usine où monsieur Léger travaille lui a proposé un nouvel emploi, dans une de ses plus importantes usines située dans une grande ville. Il aurait plus de responsabilités et il gagnerait davantage d'argent. Mais la famille Léger devrait déménager.

Ce matin, les Léger se sont levés tôt pour aller en ville en voiture. Monsieur Léger a une réunion à l'usine, et toute la famille vient avec lui. Ils se demandent tous à quoi ressemble la vie dans une grande ville.

Lorsque Rose et Jacob Brennan étaient enfants, les plus grandes villes du Haut-Canada étaient Toronto, Kingston, London et Hamilton. Maintenant, ces villes sont devenues des villes importantes de l'Ontario. L'une d'elles, Toronto, est la communauté urbaine la plus grande du Canada.

Le mot « urbain » veut dire à l'intérieur de la ville. Voici quelques communautés urbaines de l'Ontario. Plusieurs personnes vivent et travaillent dans ces villes.

	POPULATION	SUPERFICIE EN KM CARRÉS
Toronto	2 400 000	632
London	325 646	438
Ottawa	323 340	110
Hamilton	322 352	123
Windsor	197 694	120
Kitchener	178 420	135
Thunder Bay	113 662	323
Sudbury	92 059	263
Timmins	47 499	3 004

Quelle est la plus grande ville de l'Ontario ? Deux réponses sont possibles : Toronto et Timmins. Peux-tu dire pourquoi ces deux réponses sont correctes ?

Dans une communauté urbaine, la terre ne sert pas au travail
agricole, minier ou forestier. Elle est plutôt utilisée pour
y construire des maisons, des immeubles résidentiels, des
hôpitaux, des magasins, des usines, des écoles, des églises,
des cinémas, des centres
communautaires et des centres
commerciaux. En ville, on trouve
aussi des routes, des autoroutes,
des voies ferrées et des parcs.

Dans certaines rues, il y a
des maisons ou des immeubles
d'appartements. Ailleurs, il y a des
magasins et des bureaux. Dans certains secteurs
des villes, on trouve de grandes usines et des entrepôts.

Nous avons
besoin
de maisons.

Nous avons besoin
d'usines.

Nous avons besoin de magasins.

Les usines

Dans la plupart des communautés urbaines, un secteur est réservé aux usines. Ce secteur est une zone industrielle. On y fabrique entre autres des voitures, des meubles, des vêtements, des ordinateurs, des boîtes de conserve ou des outils. Monsieur Léger travaille dans une usine qui fabrique des pompes à eau. Dans les zones industrielles, on trouve aussi de grandes scieries et des entreprises de construction.

Si tu te promènes dans une zone industrielle, tu verras des bâtiments d'usine, des entrepôts ou des scieries.

Dans cette usine, on assemble des voitures. Les voitures neuves sont livrées par camions spéciaux ou à bord de wagons chez les concessionnaires pour y être vendues.

Cette femme mesure et coupe de minces feuilles de bois qui serviront à la fabrication des meubles.

Dans une aciérie, des minéraux comme le fer et le nickel sont fondus à haute température dans des fours pour en faire de l'acier et de l'acier inoxydable. L'acier est expédié dans des usines où sont fabriqués des objets comme des voitures, des poêles. L'acier inoxydable sert à fabriquer des ustensiles et des lames de patins, par exemple.

Les constructeurs et les entreprises de construction vont chercher des fournitures dans les scieries.

Les zones industrielles sont des lieux importants pour les villes. Les secteurs de la fabrication et de la construction emploient beaucoup de gens. Les objets fabriqués en Ontario sont vendus dans toutes les régions du Canada, aux États-Unis et dans le monde entier.

Les magasins

Te souviens-tu du magasin général où monsieur Brennan achetait des clous ? Monsieur Brennan avait besoin de clous, mais il ne pouvait pas les fabriquer lui-même. Il allait aussi faire moudre son blé au moulin à farine et faire réparer ses outils à la forge. Monsieur Brennan avait besoin de ces services.

Aujourd'hui, les gens qui vivent en ville ont besoin de beaucoup de biens et de services. Pour trouver ce qu'il leur faut, ils vont dans les zones commerciales. Ces zones sont des endroits où se trouvent les magasins et les bureaux.

En ville, les enfants de la famille Léger sont étonnés de voir autant de magasins et de bureaux.

Dans les villes, les plus grandes rues sont souvent bordées de magasins, de banques, de stations-service et de petits immeubles à bureaux. Beaucoup de gens vont dans les zones commerciales situées près de chez eux pour trouver ce qu'il leur faut : acheter de la nourriture et de l'essence, aller à la banque ou au salon de coiffure.

Les grands centres commerciaux ont de vastes espaces de stationnement et divers magasins. On y achète des vêtements, des chaussures, des livres, des meubles, des disques et des jouets sans avoir besoin de sortir. Si tu as faim, il suffit d'aller dans un restaurant à l'intérieur même du centre commercial.

Les immeubles à bureaux sont les principaux édifices des zones commerciales. Voici quelques-unes des entreprises et certains des services qu'on peut trouver dans un immeuble à bureaux : une société de logiciels de jeux électroniques, un cabinet d'avocats, une agence de publicité, une clinique dentaire, une agence de voyages et un bureau d'architectes.

Durant la journée, les zones commerciales des villes sont fréquentées par les personnes qui y travaillent et par des clients. À la fin de l'après-midi, de nombreux bureaux commencent à fermer. Plus tard dans la soirée, la plupart des magasins ferment également leurs portes. C'est l'heure de rentrer à la maison.

Les maisons

Les Léger se posent une question importante : où vivront-ils s'ils déménagent ? Dans les communautés urbaines, les secteurs où les gens habitent s'appellent des zones résidentielles. Une grande partie du territoire des grandes villes sert aux zones résidentielles.

Certaines personnes vivent dans de vieux quartiers où la plupart des maisons sont toutes proches les unes des autres. On trouve aussi de petits immeubles d'appartements dans ces vieilles zones résidentielles.

Un grand immeuble résidentiel permet de loger plusieurs personnes dans peu d'espace.

Certaines personnes vivent dans des zones résidentielles situées en banlieue, c'est-à-dire à l'extérieur des villes. Elles habitent dans des maisons en rangée ou dans des maisons unifamiliales.

Dans de nombreuses communautés urbaines, on trouve des quartiers où les zones commerciales, résidentielles et industrielles sont groupées toutes ensemble. Des gens vivent dans des logements situés au-dessus des magasins ou dans des immeubles d'appartements construits dans une zone commerciale animée. Vois-tu sur le plan les différentes zones résidentielles de la ville de Guelph ? Dans quel genre de zone résidentielle habites-tu ?

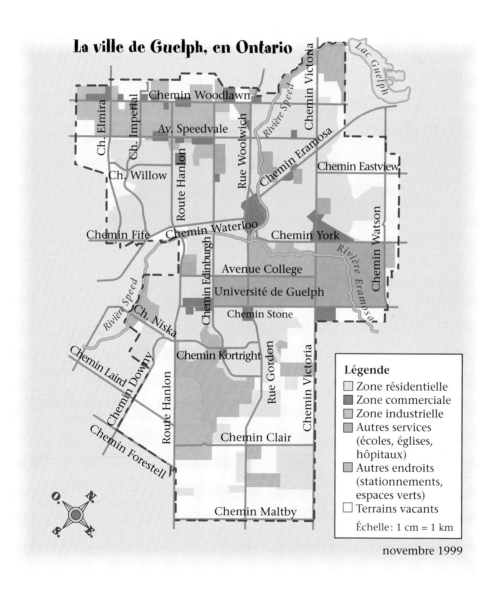

La ville de Guelph, en Ontario

Légende

☐ Zone résidentielle
■ Zone commerciale
▨ Zone industrielle
▨ Autres services (écoles, églises, hôpitaux)
▨ Autres endroits (stationnements, espaces verts)
☐ Terrains vacants

Échelle : 1 cm = 1 km

novembre 1999

D'autres services dans les communautés urbaines

Pour vivre et travailler, les gens ont besoin de se trouver un endroit où aller. Ils ont besoin de s'instruire, de recevoir des soins de santé. Ils ont aussi besoin d'un endroit où ils peuvent se réunir pour prier et adorer Dieu. Une partie du territoire des communautés urbaines répond à ces différents besoins.

Les Léger jugent très important de vivre près des bonnes écoles et d'une église. Dans une grande communauté urbaine, il y a beaucoup d'écoles et d'églises et, parfois, plusieurs hôpitaux. La plupart de ces édifices sont situés dans des zones résidentielles ou commerciales.

Les hôpitaux Chedoke et McMaster collaborent avec l'université McMaster, à Hamilton, afin de comprendre et de guérir les maladies et pour former de nouveaux médecins.

L'école *St. Thomas Aquinas* (en français, Saint-Thomas-d'Aquin), à Thunder Bay.
En Ontario, le réseau des écoles catholiques compte près de 1 200 écoles primaires
et 250 écoles secondaires.

Une église catholique d'une paroisse
ontarienne, construite en 1923. Il y a
environ 1 500 paroisses catholiques
en Ontario.

L'université Queen, à Kingston.
Il y a 19 universités et 25 collèges
communautaires en Ontario.

Les résidents des communautés rurales viennent souvent en ville pour utiliser certains des services qu'on y offre. Pour étudier dans un collège ou à l'université, les enfants de la famille Muller devront déménager dans une communauté urbaine. Lorsque Thérèse Léger était petite, ses parents l'ont emmenée à l'hôpital, dans une grande ville, pour y subir une opération au cœur.

Les communautés urbaines ont besoin d'espaces verts comme des parcs, des terrains de jeux, des terrains de sport et d'autres endroits où les gens peuvent pratiquer des activités de loisir. Dans les villes animées et populeuses, ces espaces sont très importants.

Les enfants ont besoin d'espace pour jouer et courir.

Nous avons tous besoin de lieux où nous pouvons admirer la beauté de la création de Dieu.

Le travail dans les communautés urbaines

Les communautés urbaines offrent une variété d'emplois.

Par notre travail, nous aidons à faire un bon foyer du monde que Dieu a créé.

La plupart des habitants des villes travaillent dans le secteur manufacturier ou dans le secteur des services.

- Le secteur manufacturier est le secteur de la fabrication de biens comme des vêtements, de la vaisselle, des vélos et des crayons. Les gens qui travaillent dans le secteur de la construction font des édifices comme des maisons et des immeubles à bureaux.

Monsieur Léger travaille dans le secteur manufacturier.
On lui a proposé un emploi dans une usine qui fabrique des chauffe-eau. Nous utilisons l'eau chaude pour prendre des bains, faire la vaisselle et laver nos vêtements.

- Le secteur des services regroupe l'ensemble des emplois qui ne servent pas à fabriquer des biens. Les commis à l'expédition, les livreurs et les employés des magasins livrent et vendent des biens. D'autres employés du secteur des services travaillent dans des domaines comme l'éducation, le transport, les soins de santé et les arts du spectacle.

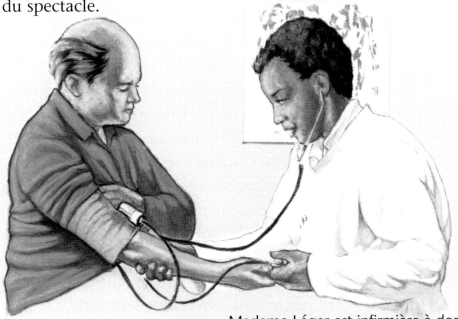

Madame Léger est infirmière à domicile et travaille dans les services de santé. Elle prend soin des gens malades. Si les Léger déménagent, elle devra trouver un emploi d'infirmière en ville.

Chaque année, des gens viennent chercher du travail dans les grandes villes. Certains réussissent à trouver un emploi, mais d'autres sont déçus. Ils ne sont pas assez instruits ni assez formés pour occuper l'emploi qu'ils désirent. Dans les communautés urbaines, il y a beaucoup d'emplois peu payés ; ces emplois ne permettent pas aux personnes qui les occupent de subvenir aux besoins de leur famille. Satisfaire les besoins essentiels comme le logement, la nourriture et l'habillement coûte souvent cher dans les villes. Dans un grand nombre de familles, les deux parents doivent travailler pour satisfaire ces besoins.

Le transport dans les communautés urbaines

Dans les communautés urbaines, les routes et les autoroutes sont importantes. Beaucoup de gens doivent se déplacer tous les jours pour aller travailler puis rentrer chez eux. Les produits fabriqués dans les usines doivent être livrés aux magasins. Le samedi et le dimanche, les gens veulent rendre visite à leurs amis, aller à l'église, faire des courses, aller dans des centres communautaires ou au restaurant. Dans une communauté urbaine, les routes sont souvent remplies de voitures, d'autobus et de camions.

Les Léger ont vu beaucoup de circulation en ville. Monsieur Léger se demande si sa famille devra acheter une nouvelle voiture après leur déménagement. Dans la ville où ils habitent, madame Léger le conduit à l'usine, puis elle garde la voiture pour faire ses visites au domicile des personnes qu'elle soigne.

Dans la plupart des grandes communautés urbaines, les voitures ne sont pas le seul moyen de transport. Il y a aussi les transports en commun. Au lieu de conduire une voiture, les gens voyagent en autobus. Les taxes municipales et la vente des billets d'autobus permettent de financer les transports en commun.

LE MÉTRO

Dans certaines grandes villes d'Amérique du Nord, il y a un système de transport souterrain qu'on appelle le métro. Dans le métro, il n'y a pas d'embouteillage et les trains vont rapidement d'une station à l'autre.

La construction d'un métro coûte très cher, car il faut creuser des tunnels et construire des stations. Seules les très grandes villes ont assez d'argent pour financer la construction d'un métro.

À Toronto, la première ligne de métro a été mise en service en 1954. De nos jours, des centaines de milliers de personnes voyagent chaque semaine en métro.

Le transport des personnes et des marchandises est une question importante. Dans les vieilles villes, les rues étroites ne permettent pas une bonne circulation. Il est parfois difficile de trouver un espace de stationnement. Voyager à vélo, marcher ou utiliser les transports en commun sont souvent de meilleurs moyens de se déplacer.

Choisir un endroit où vivre

Depuis leur visite dans la grande ville, les Léger n'ont pas cessé de parler de leur déménagement.

« Mes amies vont me manquer », dit Thérèse.

« Je sais, dit son papa, mais elles pourront te rendre visite. Ce n'est pas si loin. Qu'en penses-tu, Michel ? »

« Je pense que ce sera super. Il y a tellement de choses à faire dans une grande ville. Mais il y a quelque chose que je n'ai pas aimé. Te souviens-tu du mendiant que nous avons vu ? Cela m'a mis mal à l'aise. »

« Moi aussi, ajoute madame Léger. Il y a tellement de sans-abri dans les grandes villes. C'est injuste. »

« Il y a beaucoup de bruit dans la grande ville, dit Jean. Mais j'ai vraiment aimé la librairie de vieilles bandes dessinées que nous avons visitée. Nous n'avons pas ce genre de magasin ici. »

« Où sera notre école ? » demande Thérèse.

« Cela dépend de l'endroit où nous vivrons, répond monsieur Léger, mais nous chercherons un endroit situé près des bonnes écoles. »

« Et près d'une église paroissiale aussi », ajoute madame Léger.

« Quand devrez-vous prendre votre décision ? » demande Michel.

« Pas cette nuit, répond sa maman, mais bientôt. »

Pourquoi les gens habitent-ils là où ils sont ? Parfois, c'est parce que leur famille y vit depuis longtemps. Monsieur Muller ne peut pas s'imaginer quitter la communauté rurale où il a grandi.

Beaucoup de gens vivent dans des grandes villes à cause de leur travail. Ils cherchent un endroit où habiter près de l'emploi qu'on leur a proposé. S'ils ont des enfants, comme les Léger, ils recherchent un quartier résidentiel sécuritaire situé près d'une école et d'une église.

Dans les communautés urbaines, il y a beaucoup de services et d'activités : des restaurants et des marchés où l'on trouve des aliments du monde entier, des cinémas, des musées, des salles de concert et des événements sportifs. Il y a des activités dans les bibliothèques publiques et les centres communautaires, des classes ouvertes aux adultes qui veulent acquérir de nouvelles compétences et des activités pour les enfants. Une communauté urbaine peut être un endroit formidable.

Beaucoup d'activités intéressantes sont organisées au Centre national des arts à Ottawa. L'as-tu déjà visité ?

Tu peux apprendre beaucoup de choses sur le monde au Centre Sciences Nord, à Sudbury.

La protection de l'environnement dans les communautés urbaines

Partout où les gens s'installent dans le monde, ils transforment leur milieu naturel. Dans les communautés urbaines, ces transformations sont évidentes. Partout, il y a des immeubles et des routes. Dans certaines régions de l'Ontario, les agglomérations sont si proches les unes des autres qu'il est difficile de voir où commence et où finit la frontière entre deux villes.

Le changement a toujours des conséquences. Certaines sont bonnes alors que d'autres sont mauvaises. De nos jours, les gens commencent à comprendre que les communautés urbaines ont de très graves répercussions sur l'environnement. Les émissions de fumée des voitures et des manufactures polluent l'air. Les usines produisent des déchets dangereux. Les ordures s'accumulent. La santé des gens est menacée.

Les plages de la ville : trop polluées pour la baignade

Pollution sonore

Il faut d'autres dépotoirs

Smog! Les personnes âgées doivent rester à la maison.

Nous devons trouver le moyen de résoudre les problèmes que nous causons. Nous devons aussi apprendre à vivre sans polluer l'environnement. Voici quelques-uns des moyens que nous pouvons utiliser pour devenir de bons gardiens et de bonnes gardiennes de nos communautés urbaines.

Il cause des picotements aux yeux. Il peut provoquer des problèmes respiratoires. On l'appelle le smòg et il représente un grave problème de santé. Les émissions de fumée des voitures et des usines sont la principale cause du smog. En Ontario, les voitures doivent être équipées d'appareils spéciaux qui réduisent la pollution. On doit les vérifier régulièrement pour s'assurer qu'ils fonctionnent bien.

La plupart des communautés urbaines essaient de réduire le volume d'ordures qu'elles produisent. Le papier et les objets en verre, en métal ou en plastique prennent beaucoup de place dans les dépotoirs. Si tout le monde recyclait ces objets, on verrait une grande différence. Certaines ordures ménagères peuvent servir d'engrais pour les jardins. Les épluchures de légumes et de fruits mélangées à des feuilles et à d'autres déchets organiques se transforment en compost. Le compostage et le recyclage sont deux bons moyens de protéger l'environnement.

Pense simplement aux trésors d'ingéniosité et d'imagination qu'il faut pour construire une ville. Pense à tout le dur travail que cela demande ! Nous pouvons utiliser ces mêmes qualités pour rétablir et pour protéger nos communautés urbaines. Pour cela, nous devons réfléchir aux conséquences de nos actions.

Lequel de ces outils est une source de pollution sonore ?

Quand on agit de façon responsable, on ne gaspille pas la nourriture.

Ferme le robinet quand tu te brosses les dents ! Cela permet d'économiser l'eau.

Dieu nous a donné la responsabilité de faire de la Terre un foyer accueillant. Un foyer accueillant a besoin d'un milieu naturel propre et sain.

Nous avons été créés pour vivre ensemble.

Il y a de l'orage dans l'air.

Il est 14 h 30 en ce lundi après-midi. Les élèves de madame Lee font des projets de science. La classe est silencieuse, mais ce silence-là est inquiétant, comme lorsque les gens sont bouleversés et en colère.

Madame Lee regarde ses élèves et pousse un grand soupir. Tout semble aller de travers aujourd'hui. Cela a commencé par le gymnase : les élèves ne pouvaient pas y aller parce qu'on terminait les réparations du plafond. Puis la pluie les a empêchés de jouer dehors à la récréation. Plus tard dans la matinée, deux élèves qui s'entendent habituellement très bien se sont disputés à cause d'un livre. Ils le voulaient tous les deux. Madame Lee leur a demandé de s'asseoir à des tables séparées jusqu'à ce qu'ils retrouvent leur calme.

Après le dîner, la pluie a cessé et les élèves ont pu sortir dans la cour. Mais au lieu de s'amuser ensemble, ils se sont disputés à propos des règlements de leur jeu. Madame Lee l'a su lorsque ses élèves sont rentrés en classe. Certains des élèves disaient que c'était la faute de l'un, tandis que d'autres en accusaient un autre.

Madame Lee a eu beaucoup de difficulté à comprendre ce qui était vraiment arrivé. Mais elle peut bien voir que sa classe n'est plus une communauté heureuse. Que pourrait-elle faire?

Dieu nous a créés pour vivre ensemble en communauté. Nous avons besoin les uns des autres. Dès notre naissance, nous avons besoin des autres. Nous aimons être ensemble. Lorsque nous travaillons ensemble, nous pouvons faire des choses que nous ne pouvons pas faire tout seuls.

Lorsque les gens sont ensemble, peu importe où, dans une famille, une classe ou dans une communauté rurale ou urbaine, ils créent un milieu social. Ce genre de milieu est différent du milieu naturel. Ce n'est pas quelque chose que tu peux voir à l'œil nu, comme le sol ou l'eau, mais tu peux le ressentir. Le milieu social est le climat que les gens créent entre eux par leurs actions.

D'habitude, le milieu social de la classe de madame Lee se caractérise par la joie et l'esprit de coopération. Les élèves s'aiment bien et ils aiment travailler ensemble. Lorsque quelqu'un dans la classe est bouleversé ou mécontent, les autres élèves essaient de l'aider.

Mais ce jour-là, quand tout allait de travers, les élèves n'étaient pas gentils du tout. Le climat était lourd et désagréable. Il y avait de l'orage dans l'air, pas l'orage que crée la nature, mais celui qui se produit quand les gens oublient à quel point ils ont besoin les uns des autres, de s'entraider.

Dans les communautés rurales et urbaines, les gens doivent faire très attention à leur milieu social. Est-il chaleureux et accueillant? Participe-t-on à la vie de la communauté? Est-ce que tout le monde est accepté? Certaines personnes sont-elles négligées? Se préoccupe-t-on du sort des personnes démunies? Lorsque nous ne faisons pas attention à notre milieu social, l'orage gronde.

« Je suis bien trop occupé pour m'impliquer. »

« Ça ne me regarde pas. »

« Je travaille dur pour nourrir ma famille. Pourquoi devrais-je contribuer au comptoir alimentaire? »

« Qu'est-ce que je peux faire pour les sans-abri et les chômeurs? Je ne suis qu'une simple personne. »

Ce genre d'orage peut avoir de graves conséquences pour tout le monde. Les membres d'une communauté sont comme une famille. Quand nous travaillons ensemble et que nous nous soucions de tous les membres de notre communauté — et pas uniquement de ceux et celles que nous connaissons — nous agissons comme des frères et sœurs. Jésus a dit : « En vérité, je vous le dis, tout ce que vous avez fait à l'un de ces petits qui sont membres de ma famille, c'est à moi que vous l'avez fait. » (Matthieu 25, 40)

« Si nous travaillons tous et toutes ensemble, nous changerons les choses. »

« Cette communauté m'a accueilli lorsque je suis arrivé au Canada. Je veux lui prouver ma reconnaissance. »

« Je veux faire de ma communauté un foyer accueillant pour tout le monde. »

« Pas une seule famille ne devrait avoir faim : c'est injuste. »

Nous avons beaucoup de choses en commun.

Rappelle-toi ce que tu as appris sur le village huron, les colons loyalistes et la famille Brennan, au temps des pionniers, en Ontario. Notre style de vie a beaucoup changé depuis ce temps-là.

Mais les choses les plus importantes, elles, n'ont pas changé. Peu importe où ils vivent et l'époque à laquelle ils vivent, les gens ont tous les mêmes besoins.

Nous avons besoin de nourriture.

Les Hurons et les premiers colons du Haut-Canada faisaient pousser presque toute leur nourriture. Aujourd'hui, la plupart d'entre nous vivons dans des communautés urbaines et nous achetons nos aliments dans des magasins. Dans certaines communautés, des comptoirs alimentaires aident les gens à se nourrir, eux et leur famille. Dans une communauté solidaire, personne ne devrait avoir faim.

Nous avons besoin d'un endroit où vivre.

Les Hurons vivaient dans
des maisons longues.
En arrivant au Canada, les colons
loyalistes ont commencé par
construire des maisons de bois rond.
Aujourd'hui, nous vivons dans des
appartements, des fermes, des caravanes, des maisons
anciennes ou des maisons neuves. Dans une communauté
solidaire, tout le monde devrait avoir une demeure.

Nous avons besoin de vêtements.

Au début de l'histoire de l'Ontario, les gens fabriquaient leurs propres vêtements. Aujourd'hui, la plupart d'entre nous achetons nos vêtements. Dans un pays aussi riche que le Canada, la plupart des gens ont plus de vêtements qu'il ne leur en faut. Mais certains n'ont ni bottes ni manteaux chauds à se mettre par les temps froids d'hiver. Dans une communauté solidaire, les gens ont les vêtements qu'il leur faut.

Nous avons besoin de travailler.

Les autochtones et les pionniers ont travaillé
dur pour se faire un foyer. Ils chassaient et
pêchaient, ils cultivaient la terre, ils construisaient
des maisons et ils faisaient des vêtements. Notre
travail a changé aujourd'hui, mais nous essayons
toujours de faire de la Terre que Dieu a créée un foyer
accueillant. Lorsque les gens n'ont pas de travail, ils se
sentent exclus de la communauté. Ils n'arrivent pas à
satisfaire les besoins essentiels que sont la nourriture,
le logement et l'habillement. Dans une communauté
solidaire, il y a du travail pour tout le monde.

Nous avons besoin les uns des autres.

Dans les communautés autochtones et celles des pionniers, les gens travaillaient ensemble, partageaient leur nourriture pendant les temps difficiles, jouaient et faisaient la fête. Ils comptaient les uns sur les autres. Aujourd'hui, ceux et celles qui ont participé à une corvée de construction d'une grange se font rares ; mais nous ne sommes quand même pas si différents des communautés du passé. Nous avons toujours besoin les uns des autres. Dans une communauté solidaire, les gens comptent les uns sur les autres.

Dissipons les nuages...

Les bâtiments et les routes ne font pas une communauté.
Une communauté est formée de gens qui vivent et travaillent
ensemble et qui peuvent compter les uns sur les autres. Dans
une communauté solidaire, les gens pensent au bien de tous
et de toutes et non pas seulement à leurs propres intérêts.
Dieu nous a donné la responsabilité de faire de la Terre un
foyer accueillant. Dans un foyer accueillant, l'air et l'eau ne
sont pas pollués, les gens qui ont besoin de travailler trouvent
un emploi et ceux qui ont besoin d'un logement ont assez
d'argent pour le payer.

Les gouvernements de nos villes et de nos régions, de notre
province et de notre pays ont des responsabilités importantes.
Les décisions qu'ils prennent peuvent changer les choses.
C'est pourquoi les adultes doivent choisir avec soin leurs
dirigeantes et leurs dirigeants. Nous avons besoin de
gouvernements qui prennent de sages décisions pour protéger
l'environnement et aider les gens qui ont besoin
de logements et d'emplois.

Élire de bons leaders politiques,
c'est un droit et un devoir
qui reviennent aux citoyennes
et aux citoyens.

Tu apprends à devenir un bon membre de ta communauté. Ce n'est pas ta responsabilité de résoudre les grands problèmes de la pollution ou du chômage. Ces problèmes-là reviennent aux adultes. Mais ton engagement dans ta famille, dans ta classe et dans ton quartier peut faire une grande différence.

Voici quelques-uns des moyens que les élèves de madame Lee utilisent pour essayer d'améliorer les choses. À quoi ressemblerait ta propre liste ?

Cela peut faire toute la différence...

- si nous sourions ;
- si nous nous encourageons les uns les autres ;
- si nous pouvons résoudre nos querelles de façon pacifique ;
- si nous réglons nos problèmes ensemble ;
- si nous faisons attention aux sentiments des autres ;
- si nous nous excusons pas seulement avec des mots, mais aussi de tout notre cœur ;
- si nous acceptons tout le monde ;
- si nous montrons du respect envers les autres dans nos paroles et dans nos actions ;
- si nous respectons le bien des autres ;
- si nous demandons à Dieu de nous aider à prendre soin de nos familles, des élèves de notre classe, et de notre quartier.

«Rangez vos projets de science, s'il vous plaît, et venez vous asseoir à côté de moi, dit madame Lee. Nous devons parler de ce qui s'est passé aujourd'hui.»

Quand tous les enfants sont rassemblés, madame Lee leur demande de fermer les yeux et de rester assis calmement pendant qu'elle met une cassette de musique relaxante.

À la fin de la cassette, la classe est silencieuse. C'est un silence différent de celui qui régnait tout à l'heure. Un silence plus paisible.

«Jésus est-il dans la classe avec nous?» demande madame Lee. «Pouvons-nous lui demander de nous aider à résoudre nos petites querelles? Qu'est-ce que Jésus nous a appris sur le pardon?»

«Que nous devons pardonner», dit l'une des élèves.

«Mais on ne devrait pas tricher», dit un autre élève.

«Non, on ne devrait pas, affirme madame Lee. Mais on ne devrait pas non plus se battre, ni dire des paroles blessantes. Ne pensez-vous pas que vous avez oublié qu'on joue pour s'amuser? Gagner, c'est bien, mais s'amuser ensemble, c'est encore mieux.»

Les élèves ont parlé de tout cela pendant quelques minutes. Ils n'ont pas résolu toutes les difficultés, mais, en parlant, quelque chose s'est produit. Ils ont commencé à se sentir mieux. Certains se sont mis à sourire et plusieurs d'entre eux ont demandé pardon.

C'était presque l'heure de rentrer à la maison. Tous les élèves de la classe se sont pris par la main et ont récité le Notre Père. Ils se sont ensuite serré la main et, de tout leur cœur, ils ont partagé des souhaits de paix.

... Que ton règne vienne, que ta volonté soit faite
sur la Terre comme au ciel.
Donne-nous aujourd'hui notre pain de ce jour ;
Pardonne-nous nos offenses comme nous pardonnons
aussi à ceux qui nous ont offensés...